O Plano B

AGRADECIMENTO

Esta reedição se tornou possível graças a um gesto de desprendimento e amor à Doutrina Espírita de Yvone Capella!

Registramos aqui nossa imensa gratidão!

RICHARD
SIMONETTI

O Plano B

Dados Internacionais de Catalogação na Publicação (CIP)

S598p   Simonetti, Richard

O plano B./ Richard Simonetti. -- Bauru, SP: CEAC, 2024.
288 p.; 14x 21 cm

1. Espiritismo – ficção espírita 2. Espiritismo - jornada humana 3. Espiritismo I. Titulo.

133.93

Coordenação Editorial
Renato Leandro de Oliveira

Revisão de Língua Portuguesa
Edson de Oliveira

Projeto gráfico, capa e diagramação
@renatoleandropublisher

8ª Edição – julho de 2024
500 exemplares
29.001 a 29.500

Copyright 2011 by
Centro Espírita Amor e Caridade
Bauru SP

Edição e Distribuição

Rua 7 de Setembro, 8-30
Fone/ Fax (14) - 99126-6323
CEP 17015-031 – Bauru SP
www.editoraceac.com.br
www.ceac.org.br

Desprendido da matéria e no estado de erraticidade, o Espírito procede à escolha de suas futuras existências corporais, de acordo com o grau de perfeição a que haja chegado e é nisso, como temos dito, que consiste sobretudo o seu livre-arbítrio. Esta liberdade, a encarnação não a anula. Se ele cede à influência da matéria, é que sucumbe nas provas que por si mesmo escolheu. Para ter quem o ajude a vencê-las, concedido lhe é invocar a assistência de Deus e dos bons Espíritos.

Allan Kardec, questão 872, de
O Livro dos Espíritos

Para Evitar a Falência

Em boa parte, Espíritos que reencarnam obedecem aos imperativos da Natureza. Transferem-se para o plano físico a partir de afinidades com o país, a raça, o grupo étnico, os genitores...

Não há um planejamento personalizado, embora inserido no planejamento global para os seres vivos, atendendo aos desígnios divinos.

Os embates da vida física, com suas dificuldades, dores e problemas, atuam como estímulos evolutivos, destinados a conduzir todos os filhos de Deus à perfeição, no desdobrar dos milênios. Essa é a vontade do Senhor, que não falha jamais em seus objetivos.

À medida que o Espírito evolui, a reencarnação torna-se mais sofisticada, com planejamento elaborado pelo próprio reencarnante ou por seus mentores, como o empresário que faz o seu roteiro, em viagem de negócios.

O problema está no cumprimento desses projetos, já que a visão que o Espírito detém de seus compromissos, no plano espiritual, fica prejudicada pelas limitações do corpo físico, que inibem suas percepções e favorecem o afloramento de mazelas, resultando em precário aproveitamento e, não raro, indesejáveis desvios.

Observada a justiça, a partir do princípio de que o tratado não é caro, razoável seria que voltassem falidos ao mundo espiritual os que fizeram uso equivocado do capital de oportunidades que lhes foi oferecido.

Não obstante, a par da Justiça Divina, que dá a cada um segundo suas obras, há a Divina Misericórdia, que sempre nos oferece uma concordata, permitindo-nos abençoada reprogramação que nos livre da falência.

Esse é o teor da história que ofereço para sua reflexão nestas páginas, amigo leitor, procurando demonstrar que em qualquer momento de nossa existência, mesmo quando comprometidos em lamentáveis desvios, não estamos impedidos de aproveitar as oportunidades de edificação da jornada humana.

Basta redirecionar a caminhada, em rota alternativa, tendo por norteamento os valores do Bem e da Verdade.

Bauru, Natal de 2010

Capítulo 1

*A*ssembleia reduzida no auditório do *Centro Preparatório para a Reencarnação*, na colônia espiritual *Abrigo das Almas*, nas proximidades da crosta terrestre.

Dezenas de Espíritos, às vésperas de novo mergulho na carne, ouviam as considerações finais de Augusto, nobre dirigente da instituição:

– ... Como sabemos, o retorno às lides humanas é indispensável no estágio evolutivo em que nos encontramos. Experiência penosa. Submetidos a limitações variadas, impostas pelo cárcere físico, lidamos com dificuldade para cumprir nossos projetos reencarnatórios, mesmo porque falam alto em nós velhas tendências inferiores.

Não obstante, fixem na memória a consciência de que não estarão sozinhos. Mentores os acompanharão, a sustentar-lhes o ânimo, no cumprimento de seus deveres.

O cultivo da oração lhes permitirá em todos os momentos, particularmente nos mais difíceis, receber assistência e orientação pelos condutos da inspiração.

Richard Simonetti

Internalizem a certeza de que o estudo e a vivência dos princípios evangélicos constituirão o supremo recurso para que guardem fidelidade aos compromissos assumidos e transitem em segurança pelos acidentados caminhos humanos. Que nosso Mestre excelso nos inspire e ilumine sempre.

ロロロロロ

Terminada a exortação, Roberto e Cristina permutavam impressões com Carlos e Fernando, que seriam seus monitores durante a jornada que estavam por iniciar.

As religiões tradicionais falam em anjos da guarda, seres especiais nomeados pelo Criador para amparar Suas criaturas, desde o nascimento.

A Doutrina Espírita nos oferece uma visão mais objetiva sobre o assunto, demonstrando que esses protetores são Espíritos familiares.

A propósito, em *O Evangelho segundo o Espiritismo* Allan Kardec revela que há famílias carnais e famílias espirituais.

As primeiras são formadas por Espíritos que se ligam por consaguinidade, mas nem sempre por afetividade. Podem desenvolvê-la ao longo do tempo ou seguir cada qual seu próprio rumo.

As segundas reúnem Espíritos afins que desdobram experiências milenárias em comum, amparando-se mutuamente. Os mentores espirituais, os guias, são membros integrantes, situando-se mais desenvolvidos em suas potencialidades espirituais.

Roberto e Cristina há séculos estreitavam laços de afetividade que os identificavam como almas gêmeas.

Oportuno considerar, amigo leitor, que esse conceito não diz respeito a Espíritos criados aos pares, mas àqueles que, no círculo das famílias espirituais, sustentam ligação mais íntima.

Ambos haviam falhado inúmeras vezes em experiências pretéritas, colhendo frustrações, ampliando débitos, mas eram agora suficientemente amadurecidos para assumir e cumprir tarefas em favor de seu progresso e bem-estar.

Dizia Cristina:

– O que me preocupa é o esquecimento. Sei que é necessário, que funcionará em nosso benefício, mas temo reincidir nos mesmos enganos.

Fernando, procurando afastar seus temores, explicou:

– Sem dúvida o grande desafio da jornada humana é observar o planejamento reencarnatório. Como disse Augusto, pesam sobre nós as tendências do passado, a nossa fragilidade. Não obstante, ambos dedicaram-se intensamente ao aprendizado relacionado com a Medicina. Experimentarão desde os verdes anos a vocação para cuidar da saúde humana, a manifestar-se em tendências e impulsos que se delinearão mais precisamente na juventude. O ideal iluminará seus caminhos e os ajudará a superar as dificuldades.

Sorridente, acentuou:

– E considerem ambos que, por misericórdia divina, irão encontrar-se nas lides humanas. É uma dádiva poderem amparar-se mutuamente. Isso lhes permitirá enfrentar com segurança os desafios que terão pela frente, sem desvios, sem comprometimentos.

– Deus o ouça, Fernando. Roberto será meu porto seguro, mas temo o que possa acontecer até que nos encontremos.

Roberto beijou-lhe as mãos em carinhoso gesto e, buscando acalmar suas inquietações, falou convicto:

– Ora, minha querida, que temores são esses? Contaremos com o apoio do pessoal da instituição. Tudo foi bem programado. Vai dar certo!

– Temo magoá-lo, meu bem. Guardo plena consciência de nossos deveres e do amor que nos une, bênção de Deus em nossas vidas. Não obstante, tenho visto companheiros que partem cheios de boas intenções, mas acabam por transviar-se, pondo a perder longos preparativos e frustrando as expecta-tivas de nossos mentores.

Carlos concordou.

– Não é fácil, sem dúvida, manter fidelidade ao destino que traçamos, tendo em vista nossas fragilidades, mas consideremos que ninguém cresce sem enfrentar desafios. Confiemos em Deus!

◻◻◻◻◻

No dia seguinte...

Abro parêntesis, leitor amigo.

Frequentemente perguntam-me sobre o fluir do tempo no mundo espiritual. Seria igual ao plano físico, segundos, minutos, horas, dias, meses, anos, séculos?...

E por que não? O mundo espiritual precede o mundo físico, nele enquistado. Vivemos nele, embora não o vejamos por vestirmos o corpo físico, couraça de carne que limita nossas percepções aos acanhados cinco sentidos – tato, paladar, olfato, audição e visão.

Nele tudo é relativo, à semelhança do mundo físico, a começar pelo próprio fluir do tempo que depende do ponto de observação, como propunha Einstein.

Vênus tem movimento de rotação equivalente a duzentos e quarenta e três dias terrestres. Seria o paraíso dos trabalhadores compulsivos, que acham o dia curto demais, não fosse o fato de que a temperatura média por lá anda perto dos quatrocentos e sessenta e quatro graus centígrados, capaz, literalmente, de vaporizar os miolos.

Richard Simonetti

Mercúrio tem o dia um pouco menor, equi-valente a oitenta e oito terrestres, mas a temperatura! – quatrocentos e vinte graus centígrados sob o Sol, cento e oitenta negativos sem ele. Cozinhados de dia, congelados à noite.

Na Terra, como sabemos, o dia tem vinte e quatro horas, o ano trezentos e sessenta e cinco dias, observados os movimentos de rotação e translação – o planeta girando em torno de si mesmo e do Sol.

Nas imediações da crosta, nos planos que se sobrepõem, habitados pela maioria dos Espíritos desencarnados, o tempo flui igual. Assim, numa colônia como *Nosso Lar,* descrita por André Luiz, ou na *Abrigo das Almas,* há dias, horas, minutos iguais à Terra, observadas as diferenças envolvendo os meridianos e hemisférios.

Fecho parêntesis.

... Roberto iniciou os preparativos para a reencarnação, no que seria acompanhado por Cristina, quatro anos mais tarde.

Capítulo 2

São Paulo estava em festas, assim como todo o país, naquele 25 de setembro de 1945.

Nascia Roberto, filho do casal Custódio e Angelina Silva, porém não era essa a razão da euforia.

A cidade comemorava o fim da Segunda Guerra Mundial, que dizimara perto de sessenta milhões de pessoas, uma gigantesca hecatombe disparada pela loucura de Adolfo Hitler.

O nascimento do menino ocorrera em anonimato, em clínica obstétrica, onde Angelina o acolheu em seus braços carinhosos, após horas de dor e ansiedade no sofrido parto.

Era o primeiro filho do casal, concretizando sonho acalentado desde os primeiros tempos de namoro.

Custódio exercitava a profissão de bancário, salário modesto. Lutavam com dificuldades, mas em casamento feliz, consagrando a união de almas afins.

Filha de família espírita, Angelina sabia que ninguém vem à Terra por mero acidente. Sua intuição lhe dizia que o menino tinha algo de importante a fazer neste mundo. A expressão suave do recém-nas-

Richard Simonetti

cido, a tranquilidade com que aquele Espírito enfrentou os primeiros dias de penosa adaptação à *armadura de carne* que lhe tolhia os movimentos e inibia o pensamento, diziam-lhe estar diante de alguém muito especial.

Custódio, em princípio desligado de atividades religiosas, por amor a Angelina começara a frequentar o Centro Espírita do qual ela participava. Inteligente, amigo da leitura, não tardara em reconhecer no Espiritismo uma gloriosa mensagem que atendia às suas indagações sobre os enigmas do destino humano.

Compartilhava as impressões da esposa quanto ao filho. Não almejava para ele riqueza, poder, prestígio... Aprendera com o Espiritismo que semelhantes conquistas não raro trazem mais prejuízos do que benefícios aos Espíritos em trânsito pela Terra. Lidamos mal com esses valores efêmeros, que tendem a anestesiar a consciência, favorecendo desvios.

Tão logo retornaram ao lar modesto com o presente maravilhoso que o Céu lhes dera, reuniram-se para a leitura de *O Evangelho segundo o Espiritismo*, hábito salutar que cultivado desde o primeiro dia de casamento, mantinha abertas as portas de seu lar à proteção dos mentores espirituais, afastando os inimigos da luz.

Carlos, bem como Fernando e amigos da *Abrigo das Almas,* estavam presentes. O mentor de

Roberto inspirou Custódio na escolha do texto em homenagem ao filho que chegava. Era parte da mensagem assinada pelo Espírito Santo Agostinho, um dos mentores da Codificação Espírita.

Ó espíritas! Compreendei agora o grande papel da Humanidade; compreendei que, quando produzis um corpo, a alma que nele encarna vem do espaço para progredir; inteirai-vos dos vossos deveres e ponde todo o vosso amor em aproximar de Deus essa alma; tal a missão que vos está confiada e cuja recompensa recebereis, se fielmente a cumprirdes.

Os vossos cuidados e a educação que lhe dareis auxiliarão o seu aperfeiçoamento e o seu bem-estar futuro.

Lembrai-vos de que a cada pai e a cada mãe perguntará Deus: que fizeste do filho confiado à vossa guarda?

Se por culpa vossa ele se conservou atrasado, tereis como castigo vê-lo entre os Espíritos sofredores, quando de vós dependia que fosse ditoso.

Então, vós mesmos, assediados de remorsos, pedireis vos seja concedido reparar a vossa falta; solicitareis para vós e para ele outra encarnação em que o cerqueis de melhores cuidados e em que ele, cheio de reconhecimento, vos retribuirá com o seu amor.

Richard Simonetti

Extremamente sensibilizado ao término da da leitura, Custódio orou, contrito, banhado em lágrimas:

– Senhor Jesus, agradecemos a dádiva deste filho que puseste em nosso caminho. Frágeis e limitados que somos, ampara e inspira-nos, para que correspondamos às tuas expectativas. Que nosso Roberto sinta-se amado em nosso lar. Não sabemos o que a Vida lhe reserva, mas que nós lhe reservemos sempre o melhor, ajudando-o em seus compromissos. Abençoa-nos, Senhor, nos propósitos de servir ao teu Evangelho de Verdade e Vida.

Importante evocar as bênçãos do Céu sobre Espíritos que chegam para a jornada terrestre, mas que isso seja feito não por delegação a oficiante, nem por comparecimento a ofícios religiosos. Esse ato é intransferível – compete aos pais! Evocação contrita, um apelo do coração a ser repetido diariamente ao longo da existência.

Custódio e Angelina abraçaram-se comovidos, a contemplar o menino que dormia tranquilo no berço.

Carlos sorria, feliz.

Seu pupilo estava em boas mãos.

Não estranhe, leitor amigo, eu conservar o nome de Roberto na nova experiência física, bem como o farei com Cristina, para facilidade de identificação das personagens.

Isso também acontece mediante ação do próprio reencarnante que, intimamente associado à mente materna, durante a gestação, pode influenciá-la na escolha de seu nome, sugerindo aquele que o identificava no mundo espiritual ou outro de seu agrado. Essa ligação simbiótica entre ambos explica por que a gestante experimenta, não raro, sentimentos contraditórios em relação ao marido.

Se desafeto dele que vem para a reconciliação, consoante determinam as leis divinas, ela poderá sentir, durante a gestação, impertinente irritação e má vontade no relacionamento com o companheiro, algo para ela inexplicável e perturbador, já que contraria o afeto que presidiu a união.

Se for um amigo do esposo, experimentará indefinível ternura por ele, ampliando a afetividade.

Ressalte-se que as injunções do reencarnante estão subordinadas à condição espiritual da gestante. Se ela se situar em estágio mais elevado, neutralizará o rancor de um desafeto ou ampliará o carinho de um afeto.

Após o nascimento ocorrerá uma inversão. O reencarnante, que a influenciava, será por ela influenciado, em face da fragilidade e dependência em que se situará nos verdes anos.

Haverá, naturalmente, desdobramentos.

Se desafeto do pai, dificuldade de relacionamento com ele, marcado por injustificável animosidade.

Se alguém ligado ao seu coração, relaciona-mento feliz, diálogo fácil, convivência gratificante.

Obviamente não devem viver às turras no primeiro caso, já que os desafetos reúnem-se no instituto do lar para aprender a se amarem, não para se *amassarem*. O objetivo é a reconciliação, não a ampliação de desavenças. E com detalhe: se não o fazem, fatalmente retornarão a experiências reencarnatórias em comum. As lições serão repetidas tantas vezes quantas forem necessárias, até aprender-mos todos que somos irmãos.

O tema é vasto, leitor amigo e tem desdobramentos amplos, cuja abordagem foge ao contexto deste livro.

Capítulo 3

O Brasil inteiro tinha a atenção voltada para o estádio do Maracanã, naquele fatídico 16 de julho de 1950, em que duzentos mil torcedores acompanharam algo impensável, inconcebível – a derrota do melhor time do mundo, o Brasil, para periclitante Uruguai, que se arrastara durante a competição inteira. Estava *escrito nas estrelas* semelhante decepção? Uma provação para o povo brasileiro? Especula-se a respeito e há quem acredite que os resultados de eventos dessa natureza atendem a programação espiritual.

Mas, caro leitor, se assim fosse, onde ficaria o mérito ou demérito das ações humanas? Que força sobre-humana deveria intervir na pontaria de um jogador medíocre ou garantir recordes mundiais a atletas indolentes?

Podemos falar em indivíduos fisicamente talhados para determinado esporte, um Pelé, o rei do futebol, uma Maria Esther Bueno, grande dama do tênis brasileiro, um João Carlos de Oliveira, o João do pulo, que assombrou o Mundo com um salto triplo quarenta e cinco centímetros acima do recorde mundial.

Richard Simonetti

No entanto, atletas desse porte sabem dos sacrifícios, das horas de treinamento, do desgaste, aprimorando sua técnica, melhorando a condição física. Não basta ser o melhor. Imperioso ser também o mais dedicado.

A seleção brasileira de 1950 era muito superior à uruguaia, mas faltou-lhe a garra, o empenho, que sobraram nos comandados por Obdúlio Varela, o capitão do Uruguai. O clima de *já ganhou*, a festa antecipada, a euforia fora de hora e o *salto alto* acabaram com nossa alegria.

O silêncio sepulcral que se impusera no Maracanã e a tristeza dos torcedores contrastavam com o choro de uma criança que acabara de nascer, na ampla e confortável sede da fazenda de Cristóvão Delácio, rico agricultor no município de Ibiúna, em São Paulo.

Sob a assistência material de um obstetra, e espiritual de Fernando, Dolores, esposa de Cristóvão, recebia em seus braços a pequena Cristina, terceira filha do casal, irmã de Cristiano com quatro anos e Cristiam com dois.

Eram todos nomes vinculados ao Cristo, conforme a convicção do pai de que essa identidade ajuda a moldar o caráter. Nada melhor, portanto, que tê-los derivados do mensageiro divino, como ocorria com ele próprio.

Ignorava que os nomes não definem personalidades, nem inspiram existências. Tinha em casa exemplo típico da vacuidade de sua convicção – a esposa.

Dolores, bem diferente do nome vinculado a dor, era uma mulher ativa, bem humorada, em paz com a vida.

Talvez para ele apenas uma exceção a confirmar a regra. Raciocínio torto de quem defende princípio equivocado.

Há muitos Pedros e Paulos nas penitenciárias, muitos Judas de nobre caráter, e até santificados, como Judas Tadeu, membro do colégio apostólico, pacífico divulgador do Evangelho.

Outro aspecto interessante, relacionado com o assunto, diz respeito à numerologia, *ciência* segundo a qual há uma relação entre o número de letras de um nome e a personalidade, bem como a sorte do dito cujo. Há até quem mude de nome para fixar-se em composição numérica favorável.

Não há limites para a fantasia quando renunciamos à lógica, ao bom senso. Ingênuos fazem a riqueza dos espertos que exploram tais crendices.

Nomes e números não moldam o caráter, não determinam a sorte, não favorecem o destino.

Richard Simonetti

Capítulo 4

*E*m 1952, Adhemar Ferreira da Silva brilhava nas Olimpíadas de Helsinque, na Finlândia, quebrando duas vezes seu próprio recorde mundial na prova de salto triplo, garantindo a única medalha de ouro para o Brasil.

Enquanto o grande atleta batia seus recordes, Roberto, aos sete anos, era recordista de imaginação e curiosidade, revelando desde cedo a que viera.

E questionava o doutor Inácio, médico pediatra, amigo da família, que o atendia em consulta de rotina.

— Papai sempre fala que nosso corpo é como uma máquina que a gente usa para andar por este mundo. É assim mesmo, doutor?

— Boa comparação, Roberto.

— Então o senhor é o mecânico que conserta a máquina?

Angelina e o médico sorriram, ante a ideia tão lógica partindo de um pirralho.

— Digamos que sim — concordou ele.

— Se é assim por que estou aqui, se não há nada para consertar?

Richard Simonetti

– Não é preciso levar o automóvel à oficina, de vez em quando, para ver se está tudo em ordem?

– Sim

– Assim também acontece com nosso corpo. É preciso fazer revisões periódicas, a ver como está funcionando, se não apresenta nenhum defeito.

– E a minha revisão? Como vai minha máquina?

– Ótima, Roberto. Uma joia!

ロロロロロ

Ao saírem do consultório, o menino falou solene:

– Mamãe, já sei o que serei quando crescer. Mecânico de gente!

– Tem certeza?

– Sim. Quero consertar as pessoas. Papai sempre fala que devemos praticar o Bem. Creio que consertar pessoas é uma forma, a senhora não acha?

– Sem dúvida, mas você ainda é uma criança e com o tempo verá que há muitas maneiras de praticar o Bem.

– Não quero outra coisa, mamãe. Vou ser mecânico de gente!

Angelina não tinha ideia de que não se tratava de simples fantasia de criança. Bem preparado para o exercício da Medicina, com experiência de vidas anteriores, Roberto revelava, desde os verdes anos, a vocação que deveria marcar sua existência.

Na comemoração de seu aniversário, pediu como presente um estojo médico de brinquedo, com estetoscópio, termômetro, aparelho de medir pressão...

Tornou-se sua diversão preferida *fazer revisão* nas pessoas de sua convivência, sempre compenetrado, antecipando algo que faria mais tarde, vida afora.

Capítulo 5

*A*os quatro anos, Cristina era uma criança linda.

Loira, olhos azuis, movimentava a casa com suas estripulias, personalidade agitada que monopolizava a atenção de todos.

Dolores e Cristóvão, cuidadosos com a iniciação religiosa dos filhos, desde tenra idade os levavam à igreja evangélica.

Estavam convictos, no que tinham razão, de que a educação religiosa deve ser imposta em princípio aos pequenos, como se faz com a educação formal. Esta, preparando-os para enfrentar os desafios da subsistência; aquela, dando-lhes condições para enfrentar os desafios da existência.

Cristina parecia gostar, porquanto sempre dava tréguas ao seu temperamento, comportada no colo materno durante as prédicas, antes que tivesse idade para frequentar a evangelização.

Certa feita, após o culto dominical, perguntou:

– Mamãe, quem é aquela senhora que fica ao lado do pastor Nemésio quando está falando?

Dolores sobressaltou-se. Não havia ninguém ao lado dele. Procurando agir com calma para não assustar a filha, comentou.

— Não reparei, filha. Pode mostrá-la para mim?

— Acho que foi embora. Não a vejo mais.

O episódio repetiu-se outras vezes.

Dolores e Cristóvão consultaram o pastor.

Nemésio conversou com a menina.

— Então, Cristina, você tem visto uma senhora ajudando-me no culto?

— Sim, senhor. Quando termina ela vai embora.

— Não diz nada?

— Não, senhor. Fica ao seu lado.

— É uma ajudante minha. Cristóvão e Dolores não veem porque estão precisando de óculos.

Em particular, tranquilizou Cristóvão.

— Não se preocupe. São fantasias da menina, algo comum na infância.

Estava enganado. Dias depois Cristóvão, Dolores e os filhos visitaram o pastor.

Tão logo entraram na sala de visitas, Cristina, após olhar detidamente uma foto, disse enfática:

— Mamãe, é essa a senhora que ajuda o pastor.

Empalidecendo, Nemésio desconversou.

— Tudo bem, filha, é uma colaboradora de nossa igreja.

Pedindo licença, levou Cristóvão ao escritório.

— Cristina está sob influência do demo!

– Por que diz isso, pastor?

– Essa senhora que ela apontou na foto é minha mãe, que faleceu há quinze anos.

– Meu Deus! Mas como isso é possível? Como pode o demo tomar forma humana e entrar na igreja?

– Ah! meu caro, ele é terrível. Jesus disse que até os eleitos seriam envolvidos.

– O que fazer?

– Vamos orar com fervor, pedindo a Jesus que o afaste.

Faltou um mínimo de conhecimento sobre a vida espiritual para Nemésio constatar que Cristina via sua mãe, nobre senhora que o ajudava nas pregações.

O *demo* não foi afastado. Simplesmente Cris--tina deixou de ver.

Muito do que crianças de tenra idade falam ou veem não tem nada de fantasioso.

Até os sete anos, quando se completa o processo reencarnatório, o Espírito conserva algumas de suas percepções.

Pode ter vidências ou lembranças da vida anterior.

Richard Simonetti

Capítulo 6

*C*ustódio lia no ônibus, retornando do expediente bancário.

O jornal estampava em manchete o feito da União Soviética, lançando o primeiro artefato humano a ganhar o espaço e entrar em órbita, o *Sputnik*, em 4 de outubro de 1957.

Era uma batalha vencida pela Rússia na chamada *Guerra Fria*, confronto entre o regime comunista, liderado pelos russos, e o regime capita-lista, representado pelos Estados Unidos.

Sucesso efêmero. Os recursos mobilizados para a vitória no espaço contribuiriam, dentre outros fatores, para o exaurimento do império soviético, que se dissolveria como um castelo de cartas.

Custódio lamentava tanto dinheiro gasto de ambas as partes para exaltar um regime, quando muito mais se poderia fazer com tais recursos em favor de multidões carentes.

Em dado momento, sentiu forte pontada no peito, tão intensa que desmaiou. Conduzido ao pronto-socorro, logo constatou-se que estava enfartando.

Richard Simonetti

A medicação foi prontamente aplicada, ajudando a restabelecer a circulação sanguínea na área afetada, mas com inevitáveis sequelas.

Sucederam-se licenças e cuidados médicos, mas o mal se agravava, impondo-lhe pesadas limitações.

Recebeu, no Centro Espírita que frequentava, assistência espiritual e passes magnéticos, mas os mentores espirituais que cuidavam dele sabiam que seus dias estavam por findar.

Custódio sentia isso e procurava preparar a família para a separação, particularmente Roberto, perto de completar doze anos.

– Meu filho, – dizia – temos aprendido com o Espiritismo que nossa existência na Terra é transitória. A vida verdadeira está no mundo espiritual. Uns ficam pouco, outros se demoram. Parece que Jesus está pretendendo que eu volte mais cedo.

– Ah! papai – reclamou o adolescente, aflito – vou pedir a Jesus que espere. Se lhe der tempo, prometo que vou me esmerar nos estudos, logo me formarei médico e vou curar o senhor, tenho certeza.

Custódio sorriu, entre triste e feliz, constatando uma vez mais que o filho viera ao mundo com tarefa definida no campo da Medicina. Mas isso também era motivo de preocupação, porquanto com sua ausência faltariam recursos para a Faculdade.

Preocupação infundada.

Os mentores espirituais sempre se mobilizam em favor dos Espíritos que reencarnam com tarefas definidas.

Seria puro sadismo deixá-los entregues à própria sorte.

Capítulo 7

*A*os sete anos, Cristina, inteligente e irrequieta, encantava os adultos, mas ao mesmo tempo perturbava os pais com seus questionamentos, principalmente em relação à religião.

Certa feita compareceram a um velório.

Ante o corpo do finado, Dolores explicava:

– Está dormindo, filha.

– O que vão fazer com ele?

– Será guardado no cemitério! Ficará em repouso até o juízo final.

– E daí?

– Acordará.

– Vai demorar?

– O final dos tempos só Deus sabe.

– E quando vier?

– Seremos todos julgados por Jesus.

– O que é isso?

– Ele vai ver o que fizemos de bom ou de mau.

– Está tudo anotado?

– Sim.

– E depois do julgamento?

Richard Simonetti

– Os bons irão para o céu, os maus para o inferno.

– Para sempre?

– Sim.

– Não é muito tempo?

– É a justiça de Deus.

– Esquisito né, mamãe? Deus é muito severo. Podia dar uma chance às almas do inferno.

– É pecado questionar essas coisas, filha. O Senhor sabe o que faz.

Cristina calava-se, mas deixava entrever a contestadora que daria trabalho aos pais nas questões religiosas, não compatíveis com a lógica.

Capítulo 8

*N*o dia 14 de outubro de 1962, os Estados Unidos divulgaram fotos, coletadas em voo secreto sobre Cuba. Mostravam instalações preparadas para abrigar mísseis nucleares soviéticos.

John Kennedy, o presidente norte-americano, comunicou à população que considerava o fato como um ato de guerra, tendo em vista a possibilidade de um ataque atômico altamente destrutivo.

Na Rússia, o Primeiro-Ministro soviético, Nikita Kruschev, alegou que os mísseis representavam apenas uma ação defensiva e serviriam para impedir nova tentativa de invasão dos Estados Unidos a Cuba.

Francisco Cândido Xavier, em Uberaba, atendia um homem preocupado com o fato de que russos e americanos provocariam uma guerra nuclear que dizimaria a Humanidade.

O médium o tranquilizou, explicando que se a loucura humana destruísse a Terra, Deus arranjaria outro lugar para os Espíritos que compõem a Humanidade morarem.

Considerando que somos imortais, a observação de Chico é pertinente. Sempre haverá um cantinho para nós, na vastidão do Universo.

Richard Simonetti

Não apenas em relação ao futuro da Humanidade, mas particularmente em relação ao nosso próprio futuro, a certeza da imortalidade não é uma questão de fé, mas uma realidade demonstrada e evidenciada no processo mediúnico.

O conhecimento da vida espiritual permite enfrentemos a morte de forma tranquila, concebendo-a como mero retorno à pátria comum, no Mundo Espiritual, onde reencontraremos amigos e familiares que nos antecederam, com perspectivas inesgotáveis de trabalho e aprendizado.

Imagine, amigo leitor, desfrutar da leveza das libélulas, sem o peso da máquina física, com suas limitações, desgastes e achaques!

Para aqueles que levam a sério a experiência reencarnatória, cumprindo seus deveres e mantendo fidelidade à própria consciência, a grande ceifeira é, na verdade, a grande libertadora, como exprime o Espírito Castro Alves, em psicografia de Francisco Cândido Xavier:

...Se o cristal que imita o céu
Da consciência tranquila
É o luzeiro que cintila
Na noite do teu viver,
Oásis – dou-te o repouso,
Estrela – estendo-te lume,

Flor – oferto-te perfume,
Luz da vida – dou-te o ser!

E ainda:

Portanto, homem, se tens
Por bússola o Bem na vida
Olha o Sol de fronte erguida,
Espera-me com fervor.
Abrir-te-ei meus tesouros,
Serei tua doce amante,
Cujo seio palpitante
Guardar-te-á – paz e amor.

Se às vezes se te afigura
Que sou a foice impiedosa,
Horrenda, fria, orgulhosa,
Que espedaça os teus heróis,
Verás que sou a mão terna
Que rasga abismos profundos,
E mostra bilhões de mundos,
E mostra bilhões de sóis.

Conduzo seres aos Céus,
Á luz da realidade,
Sou ave da Liberdade
Que ao lodo da escravidão

Richard Simonetti

Venho arrancar os Espíritos,
Elevando-os às alturas:
Dou corpos às sepulturas,
Dou almas para a amplidão!

Dá para perceber que o grande motivo de temor diante da morte está em encará-la de consciência comprometida por deslizes morais, ambições e vícios. São lastros pesados que nos situarão jungidos a regiões tormentosas, na espiritualidade, impedindo nossa integração em comunidades felizes, a *Cidade de Deus* a que se referia Santo Agostinho, composta pelos cristãos autênticos, aqueles que vivenciam a mensagem do Cristo, ainda que não ligados a uma religião.

Se isso lhe parece estranho, leitor amigo, considere que o importante não é ser religioso, mas cultivar a religiosidade, isto é, estar vinculado ao mais importante de todos os templos: a consciência.

Isso não apenas em relação à vida futura, mas também à vida presente.

Oportuno a respeito um pensamento de Abraham Lincoln, o grande presidente norte-americano:

Quando pratico o bem, sinto-me bem; quando pratico o mal, sinto-me mal. Eis a minha religião.

ロロロロロ

Custódio, virtuoso membro da *Cidade de Deus*, estava habilitado a retorno feliz, em face de uma existência de lutas e sacrifícios, marcada pela consciência tranquila.

Sobreviveu cinco anos, após o enfarte, afastado do serviço por licença-saúde, em princípio, depois aposentado por invalidez.

Houve tempo suficiente para que Angelina concluísse o curso na Faculdade de Serviço Social.

Ela começava a jornada profissional.

Ele terminava a jornada física.

Enfraquecendo paulatinamente, conversava com a esposa e o filho, abordando sem traumas, de forma natural, o espinhoso tema da separação.

Numa crise mais forte, hospitalizado, tinha ao lado Angelina e Roberto, este já com dezessete anos, a transitar pelo hospital com a familiaridade de quem está na própria casa.

Repercutiam nele as vivências anteriores no campo da Medicina, fenômeno comum em pessoas que travam contato com atividades que marcaram suas experiências reencarnatórias anteriores, embora não o percebam.

É um aspecto do famoso *déjà vu* francês, o já visto, já vivido, já experimentado...

Falando com dificuldade, Custódio anunciou, procurando manter o bom humor:

– Meus queridos, estou de partida. Podem ficar um pouco tristes, que triste ficarei eu se tal não acontecer. Podem até chorar. Só são proibidas lágrimas de amargura e angústia que me perturbem.

Angelina esboçou um sorriso.

– Faremos uma festa...

– Não é preciso tanto, basta que se lembrem de mim com alegria, evocando sempre os bons momentos que passamos juntos. Deus foi bom para nós, permitindo-nos uma existência digna, com a bênção da Doutrina Espírita, que ilumina nossos caminhos.

– Ah! Papai, eu queria tanto tê-lo conosco na minha formatura de médico!

– E quem disse que não estarei com você, meu querido! Nem que seja preciso brigar com o povo lá de cima! Lembre-se disso. E também de nossas conversas sobre a missão do médico, das mais nobres. É o sacerdote da saúde. Deus quer que as pessoas vivam de forma saudável para que possam cumprir seus compromissos. Jamais permita que o dinheiro venha à frente, em sua atividade profissional. Em primeiro lugar o bem-estar do paciente, não importando se rico ou pobre.

– O senhor sabe que é assim que penso. É assim que me ensinou. Prometo-lhe que viverei para a Medicina, jamais da Medicina.

Custódio sentia que não havia tempo, as forças se esvaiam... Dirigiu-se a Angelina.

– Quanto a você, meu amor, guarde a certeza de que estaremos sempre juntos em Espírito, mas, se a solidão apertar, busque companheiro digno e honrado.

Esforçando-se por sorrir, acrescentou:

– De preferência bem de vida, para que você não passe as aperturas que enfrentamos...

Angelina, incapaz de conter as lágrimas, mas igualmente tentando sorrir:

– Seria ótimo para as finanças, porém não atenderia o mais importante – os reclamos de meu coração. Jamais haverá outro alguém entre nós, meu amor. Permaneceremos unidos em pensamento, e procurarei fazer o melhor todos os dias, cumprindo os desígnios divinos, para merecer estar com você quando chegar a minha hora...

Mentores espirituais presentes emocionavam-se com aquela cena rara na Terra, uma família perfeitamente integrada nos objetivos da Vida, capaz de enfrentar a dor da separação de forma digna e tranquila.

Mais algumas horas e Custódio retornava ao mundo Espiritual, em cinco de agosto de 1962, no mesmo dia em que Marilyn Monroe desencarnava.

Curioso, leitor amigo, como a realidade espiritual é totalmente diferente do que vemos na Terra.

A estrela americana mereceu manchetes nos jornais de todo o Mundo.

Custódio, apenas minúscula nota no necrológio de modesto jornal.

No entanto, havia festas no mundo espiritual para Custódio, amparado por uma equipe da *Abrigo das Almas.* Retornava vitorioso, existência digna e honrada, sem turbulências, sem desvios de comportamento.

Quanto a Marilyn, apenas lamentações de seus mentores, a deixá-la estagiar por algum tempo em regiões umbralinas, até que se libertasse dos pesados lastros de inconsequência que caracterizaram sua existência. Regressara antes do tempo, como suicida inconsciente que literalmente aniquilara o corpo com seus excessos, adquirindo débitos novos sem resgatar os antigos.

Infelizmente é o que acontece com imenso contingente de Espíritos que retornam ao mundo espiritual, em face da inconsequência que lhes marca o trânsito pela carne.

Uma dúvida, leitor amigo: se Roberto reencarnara com tarefas importantes no campo da Medicina, não seria conveniente que o pai estivesse a seu lado, pelo menos até a formatura, garantindo-lhe a assistência necessária, principalmente no setor financeiro?

Você conhece a história de homem que abriu um casulo para ajudar a borboleta a nascer? Julgando fazer uma boa ação, apenas complicou a vida do inseto, porquanto o esforço por romper a prisão no casulo faz parte dos propósitos da Natureza, no sentido de fortalecê-lo.

Para os Espíritos indômitos, que reencarnam com tarefas bem definidas em favor do progresso humano, as dificuldades e problemas que enfrentam nos primeiros anos são de sua escolha, ajudando-os a superar as ilusões do mundo, a fortalecer o caráter e a disposição de seguir em frente em seus compromissos.

Chico Xavier foi exemplo marcante, programando uma infância e uma adolescência difíceis, em situação de pobreza, não por compromisso cármico, mas por decisão pessoal.

Foi o preparo a fortalecer suas *asas* para os grandiosos contatos com o mundo espiritual, que resultariam em centenas de livros psicografados, a enriquecer a literatura mediúnica, numa vanguarda de esclarecimentos e orientações para a Humanidade.

ロロロロロ

Como era de se esperar, após o falecimento de Custódio, Angelina passou por dificuldades financeiras. A pensão como viúva mal cobria as despesas mais prementes.

Completava o minguado orçamento doméstico trabalhando como assistente social em entidade filantrópica.

Enquanto Roberto seguiu seus estudos na rede pública, não houve problemas, mas aos 18 anos surgia o desafio do vestibular de Medicina. Era preciso começar o cursinho preparatório, além dos estudos normais no então chamado *curso científico*, algo acima das posses financeiras da família.

Preocupada, buscando solução para o problema, Angelina comunicou ao filho:

– Estou conseguindo serviço de auxiliar de cozinha num restaurante, nos finais de semana. Fique tranquilo.

– Não, mamãe, não posso concordar que a senhora se sacrifique por mim. Já está fazendo muito. Não se preocupe. Estudarei em casa.

A partir de então, com a disciplina dos Espíritos que sabem o que querem e onde devem chegar, Roberto dedicou-se inteiramente aos estudos.

Conseguiu com amigos apostilas de cursos para vestibulares de Medicina, elegeu domingo à tarde como a única pausa para descanso e durante dois anos cumpriu rigorosamente as disciplinas de estudo a que se entregara.

Prêmio ao seu esforço, aos vinte anos era aprovado na Faculdade de Medicina do Estado, num dos primeiros lugares.

No culto do Evangelho no lar, mãe e filho agradeceram a Jesus e aos mentores espirituais pelas dádivas recebidas.

Custódio estava presente, rejubilando-se com seus amados.

Tinha agora a confirmação de que o filho assumira tarefa importante em favor da saúde humana.

Tudo transcorria segundo o planejamento feito na espiritualidade.

Capítulo 9

*H*á no imaginário popular a ideia do Maktub, o *estava escrito*, da filosofia oriental.

A existência humana estaria programada em seus mínimos detalhes.

O bom senso nos diz, amigo leitor, que não é bem assim. Há de fato um planejamento para o reencarnante, feito por ele próprio, ou por mentores espirituais quando não tenha condições para tanto.

E há, também, multidões que reencarnam sem programa detalhado. A razão é simples: seria ocioso. Em sua imaturidade, não cumpririam o planejado.

De qualquer forma, nossa vida não é um livro pronto.

Há, digamos, um sumário, com capítulos indicados nos próprios títulos, envolvendo localização, família, raça, cor, condição social, corpo físico...

Cumprirá ao viajor da carne desenvolver os temas ali propostos, no desdobramento de suas ações, como o autor que escreve seu livro a partir de ideias centrais.

O grande problema é compatibilizar a intenção com a ação, a idealização com a realização.

Richard Simonetti

Na Espiritualidade, com uma visão mais ampla de suas necessidades evolutivas, de seus débitos cármicos, de seus compromissos, o Espírito visualiza melhor o roteiro em favor de sua adequação às leis divinas. Reencarnando, o corpo lhe impõe limitações, perde grande parte das percepções espirituais e a jornada situa-se penumbrosa.

Se não se dispuser a cultivar a oração e a reflexão que iluminam o caminho, ficará literalmente perdido, transviando-se.

Três anos após o ingresso de Roberto na Faculdade de Medicina, Cristina situava-se, no verdor de seus 18 anos, como exemplo perfeito.

Menos amadurecida do que o companheiro que deveria reencontrar para os labores planejados, *flutuava* nos embalos da juventude, preocupada com a aparência física, cultivando entusiasmo juvenil por rapazes com os quais convivia.

Experimentava atração pela Medicina e pensava seguir por esse rumo, conforme fora planejado, mas sua atenção estava inteiramente voltada para as festinhas, os flertes, as ilusões primaveris que povoam a mente das almas não acordadas para os objetivos da existência humana.

Algo mais preocupante: não sentia atração pelo culto religioso, até porque os princípios da igreja que seus pais frequentavam não atendiam às suas dúvidas, impasse que perturba muitos religiosos, o que acaba por situá-los na indiferença.

◻◻◻◻◻

Pior aconteceu no cursinho preparatório para o vestibular de Medicina.

Começou com incontida admiração.

Jovem, atlético e belo, autêntico Adônis transvertido em professor de biologia, Rino mexera com os sonhos de Cristina, parecendo-lhe o príncipe encantando que dominava seus sonhos juvenis.

Como todo Espírito que vem à Terra com compromissos definidos, envolvendo profissão e casamento, Cristina começava a realizar o projeto de Medicina, preparando-se para o vestibular, mas também ansiava por um companheiro que pressentia estar em seu destino.

Rino parecia encarnar esse ideal. Diferente de Roberto, mais amadurecido, que resistia à ação dos hormônios que favorecem a passionalidade, Cristina deixou-se envolver.

Percebeu que Rino encantava-se com sua beleza primaveril. Contrariando a orientação do colégio, que proibia o namoro de professores com alunos, logo começaram a encontrar-se às escondidas.

Richard Simonetti

A escalada passional, tão fácil entre os jovens, logo se fez sentir, a começar do diálogo amoroso, os primeiros toques de mãos, o primeiro beijo, as carí--cias, o sexo...

Cristina passou a conviver com sentimentos contraditórios. De um lado, a orientação rígida dos pais, a ver no sexo antes do casamento algo passível da punição divina; de outro, a paixão, que fazia dos fugazes momentos em que se encontrava com o namorado algo perto do paraíso.

Cristina pressentia que estava à beira de um abismo, que não estava agindo de forma acertada e, pior, que Rino não era o homem de sua vida, não obstante a atração que sentia por ele, a ardência a envolvê-la quando em seus braços.

O previsível, em tal situação, acabou ocorrendo: ficou grávida.

Certamente estará questionando, leitor amigo, como pôde ocorrer uma gravidez, se não fazia parte do projeto de vida de Cristina, àquela altura dos acontecimentos?

Ocorre que nem sempre essa situação atende a um projeto de vida, ou você supõe que milhões de adolescentes engravidam no Mundo, anualmente, por vontade divina?

No Brasil, em regiões agrestes, é comum o pai exercitar o incesto, arrogando-se o direito de *colher a*

60   O Plano B

primeira flor, na iniciação sexual de suas filhas que, não raro, engravidam.

Seria puro sadismo de Deus gerar filho numa menina de doze anos, violada pelo próprio genitor.

Sabemos que o princípio espiritual que anima os seres inferiores da Criação, um inseto, um peixe, uma ave, um animal, passa por incontáveis reencarnações, desenvolvendo a complexidade que lhe permitirá um dia tornar-se um ser pensante, um Espírito.

E como se dá a reencarnação desses incontáveis embriões de Espírito? Haveria um mentor por trás de cada um deles, determinando que reencarne aqui ou acolá?

Nada disso! Simplesmente obedecem à chamada reencarnação natural, atendendo à atração magnética entre seres da mesma espécie, embora sob a tutela de técnicos da Espiritualidade, que controlam os fenômenos naturais.

Da mesma forma, quando ocorra a fecundação do óvulo pelo espermatozoide, após a união sexual, um Espírito da esfera de influência do casal pode ser atraído à reencarnação, sem que tenha ocorrido planejamento.

Não obstante, é atendido, em caráter geral o Planejamento Divino que permite que essas ocorrências se deem no instituto das experiências do Espírito, nos caminhos da evolução.

Richard Simonetti

◻◻◻◻◻

Cristina e Rino ficaram extremamente abalados, sem rumo, sem saber o que fazer.

Aborto, nem pensar.

A rígida formação religiosa da família funcionava em favor de Cristina, evitando que se comprometesse num crime que complicaria ainda mais seu futuro.

Por alguns meses foi possível disfarçar.

Dolores percebia que havia algo errado com a filha. Não se sentia bem, experimentava enjoos, mostrava-se pensativa, distante, irritada...

Jamais poderia imaginar o que estava acontecendo. Em sua mente não cabia a ideia de que a filha cometesse aquela transgressão.

Mas chegou o momento em que se impôs a revelação.

Cristina estava no chuveiro quando Dolores entrou no banheiro para apanhar uma escova de cabe- -lo. Surpreendida, percebeu que a filha revelava todas as características de uma gestação por volta do quarto mês, barriguinha se formando, ancas se ampliando, seios maiores...

– Meu Deus, Cristina! Você está grávida!

A jovem debulhou-se em lágrimas.

– Que imprudência, minha filha. O que vai ser de você agora?

Cristina desesperava-se.

– Por favor, mamãe, perdoe!

– Não há o que perdoar, Cristina. O problema é que você mal está começando sua vida! Que será de seu futuro? E o curso de Medicina?

– Não sei nada, mamãe! Sinto-me perdida!

– Você fala com entusiasmo de seu professor de biologia. É ele o pai?

– Sim. Seu nome é Rino.

– Conversaremos com Cristóvão.

– Não quero envolver papai. Não vai entender.

– Não se trata de entender ou não, Cristina. Há providências a serem tomadas. Ele tem que saber.

O jantar naquela noite transcorreu em clima tenso. Cristóvão percebeu que havia algo errado.

– Algum problema?

– Não é nada, querido. Depois do jantar conversamos.

A reação do marido, quando se reuniram os três, na sala de visitas, foi surpreendente.

– Andava desconfiado e torcia para que minhas suspeitas não se confirmassem. Agora, minha filha, é preciso considerar que você traz em seu ventre um filho de Deus que está chegando. Não podemos recebê-lo mal. Vamos resolver o assunto de imediato com o casamento.

Richard Simonetti

Certíssima a postura de Cristóvão.

A Doutora Helen Wanbach, no livro *Vida Antes da Vida,* comenta suas experiências com pacientes que, sob técnicas de relaxamento, reviviam as emoções da vida intrauterina.

Impressionava-se com a informação de que muitos se sentiam mal por perceber a rejeição do pai, da mãe, ou de ambos, que ocorre principalmente na gravidez não planejada, geralmente indesejada.

Imagine, leitor amigo, você mudando-se para a casa de um familiar, a perceber que não o querem ali, e que chegam a cogitar de *bater a porta em sua cara,* isto é, providenciar o aborto. Seria horrível!

Pais que recebem relutantes o filho não têm noção de como isso pode ser traumático para o Espírito, a refletir-se em seu comportamento na adolescência, situando-o rebelde e contestador. É a mágoa inconsciente...

Evidentemente, não estou pretendendo que um filho rebelde seja sempre alguém mal-acolhido ao chegar, mesmo porque há outras razões para que isso aconteça.

É preciso considerar sua maneira de ser, seu grau evolutivo, suas tendências e o relacionamento anterior da família com ele, em pretérita existência. Como já comentei, um desafeto que não superou mágoas e ressentimentos do pretérito vai dar trabalho, ainda que recebido com carinho.

Cristina, surpresa com a reação tranquila do pai, e mais ainda com sua decisão, perguntou:

– E meus estudos, papai, como ficam? O senhor sabe de meus anseios em relação à Medicina. Está em meu sangue. É o que mais desejo!

– Tudo bem, minha filha, talvez no futuro você possa retomar. Agora é preciso resolver essa situação e assumir outras atribuições com o casamento. Ou você quer que meu neto nasça filho de mãe solteira?

Considerando a rigidez dos princípios que norteavam Cristóvão, impensável outra solução.

⬜⬜⬜⬜⬜

Rino foi convocado.

Apaixonado por Cristina, implorou perdão pelo acontecido. Estava disposto ao casamento. Era o que mais desejava. Desfrutava de estabilidade financeira para isso.

A união foi acertada.

Em breves semanas aconteceu o enlace.

Cristina, não obstante a conveniência do casamento e o fato de estar apaixonada, não conseguia furtar-se a indelével melancolia. No imo de seu coração persistia o sentimento de que entrara num desvio em relação ao seu projeto de vida.

Não estava sozinha. Era apenas mais um dentre incontáveis jovens a enfrentar esse problema, à medida que a liberdade sexual se expande, levando-os a perigoso desvio de perspectiva que transforma o sexo, que deveria ser apenas parte do amor, no amor por inteiro.

Ponto delicado, amigo leitor, talvez o maior desafio dos Espíritos que reencarnam com roteiro de vida definido.

Há sempre a possibilidade de um desvio se o indivíduo não presta atenção à sinalização que brota do inconsciente, onde estão os registros de seus compromissos. Acaba transferindo para futuro remoto resgates e realizações indispensáveis ao seu crescimento como filho de Deus.

E sempre haverá estragos a consertar, complicando o porvir. Por isso, a jornada humana é, para a maioria, mais um acerto de contas com o passado do que uma realização para o futuro.

Falta reflexão.

Pensar a Vida, pensar na Vida.

Admitir que não estamos na Terra em jornada de férias.

Viemos com uma missão específica, fundamental: evoluir!

Se passam horas, dias, meses, anos, sem adquirirmos cultura, sem aprimorarmos sentimentos, sem combatermos imperfeições, sem crescermos espiritualmente, distraídos das razões pelas quais estamos aqui, dificilmente deixaremos de entrar por desvios, complicando o futuro, como aconteceu com Cristina.

Na espiritualidade, Fernando e Carlos, os mentores espirituais de Cristina e Roberto, buscaram Augusto para um entendimento, na *Abrigo das Almas*.

Fernando exprimiu as preocupações de ambos.

– Nossos planos estão comprometidos, em face do casamento de Cristina. Não sabemos o que fazer.

Augusto, que conhecia bem os problemas inerentes aos desvios humanos, sorriu, dizendo

– É assim mesmo. Infelizmente muita água vai rolar no rio do tempo até que os reencarnados assumam plenamente seus compromissos, sem desvios. O jeito será pôr em prática um *Plano B*, apoiando Cristina e o marido para que cumpram deveres nascidos não de uma programação elaborada no plano espiritual, mas de suas próprias escolhas no plano físico.

Carlos preocupava-se com seu pupilo.

– Temo por Roberto. Cristina seria o seu porto seguro, atendendo-o em suas aspirações afetivas.

Augusto sorriu:

– Se bem o conheço, nosso pupilo manterá fidelidade aos compromissos assumidos, embora sofra por não concretizar o anseio de uma companheira. Para ele também haverá um *Plano B*. Seguirá em frente, retirando o casamento do rol de seus anseios, já que para Espíritos de sua estirpe não haverá chance de uma união sem amor. Ele jamais se deixará envolver pelos embalos de uma paixão.

Carlos concordou com o mentor, mas redarguiu:

— Creio que, obedecendo à sintonia das almas e aos compromissos delineados, fatalmente Roberto e Cristina se encontrarão nas lides humanas. E então, o que poderemos esperar?

— Não nos preocupemos por antecipação. Deixemos ao futuro os cuidados do futuro. Como ensinava Jesus, a cada dia seu mal.

Capítulo 10

*H*á dias Roberto não conseguia concentrar-se nos estudos.

Inexplicável inquietação o assaltara, associada a indefinível tristeza.

Imaginou tratar-se de influência espiritual, sem saber que a razão daquele sentimento estava no casamento de Cristina, a afastar-se do planejamento feito. Indelével ligação entre ambos, fruto da afinidade que os unia, o levava a sentir que algo de grave estava acontecendo, relacionado com sua existência, seu futuro.

Experimentava, mais que nunca, extrema carência afetiva.

Prato cheio para Sandra, segundanista de Medicina, loira escultural que nutria por Roberto paixão nada secreta, a comentar abertamente que era *a fim dele,* não por afinidade, mas por passionalidade. Não o amava. Simplesmente o desejava, com a intensidade das pessoas orientadas pela sensualidade.

Roberto usava de uma estratégia de defesa para resistir ao assédio das jovens que tentavam aproximar-se. Fazia-se de inocente, como se não percebesse as sinalizações de gestos e palavras com os quais as *robertetes* buscavam conquistar sua atenção.

Os amigos criticavam aquela postura, alertando-o de que acabariam por colocar em dúvida sua masculinidade, mas ele não se importava, envolvido inteiramente com seus estudos, à espera da *alma gêmea.*

Com a intuição das pessoas sintonizadas com os apelos do prazer, Sandra pressentiu a carência de Roberto e *deu o bote.*

Encontrou-o na biblioteca, onde ele passava o tempo livre, no intervalo das aulas, sempre estudando.

Foi logo se insinuando. Abraçou-o, efusiva, deu-lhe os tradicionais dois beijinhos, colante, sem pressa de afastar-se e, tocando seu braço, falou em tom meloso:

– Cuidado para não fundir a cuca! É muito estudo, Roberto. Não tem tempo livre para passear, para conversar? Não gosta do contato com as colegas?

– Adoro, Sandra, mas há tempo de estudar e tempo de *flanar.* Num curso tão pesado quanto o nosso é bom reduzir o tempo da diversão e ampliar o tempo de reflexão, se queremos futuro feliz na Medicina. Vamos lidar com a saúde humana. A responsabilidade é enorme. Não podemos *perder o foco.*

Sandra percebeu que se quisesse algo com o bonitão teria que *entrar na dele.*

– Tem razão. Meu problema é que tenho dificuldade em determinadas matérias, como anatomia. Acabo deixando de lado. Sei que você é professor no assunto. Poderia ajudar-me?

Roberto não era tolo e percebeu o pretexto para aproximar-se, mas, carente, acabou cedendo à sua insistência.

– Pode ser amanhã à noite?

– Ótimo. Moro num apartamento aqui perto com duas colegas. Pode ir até lá por volta de vinte horas?

– Está bem.

Sandra passou-lhe o endereço e tratou de providenciar para que as companheiras não estivessem presentes.

No horário aprazado, Roberto tocou a campainha.

Sandra, sorridente e perfumada, vestindo minúsculo conjunto de saia e blusa que pouco ocultava as suas formas esculturais, veio recebê-lo.

Abraçou-o, insinuante, para os beijinhos tradicionais e não tardou em substituir a aula teórica de anatomia que receberia por uma aula prática que ministraria, da qual era emérita professora.

Roberto deixou o apartamento, horas depois,

com a impertinente sensação de frustração que sempre o envolvia nas raras vezes em que exercitara os prazeres do sexo.

Como ocorre com os Espíritos amadurecidos, não conseguia dissociar a comunhão de corpos de uma comunhão de almas.

Para ele o sexo só seria realmente gratificante quando fosse parte do amor, jamais o amor por inteiro.

□□□□□

Por sua vez, Sandra sentiu-se totalmente envolvida a partir daquela noite e não perdia oportunidade de aproximar-se, convidativa em sua esfuziante juventude, marcada pelas curvas insinuantes e tentadoras.

Não conseguiu seduzi-lo. Roberto arrependera-se de sua fraqueza. Não podia sustentar relacionamento amoroso com Sandra, simplesmente porque não conseguia colocar o sexo à frente do amor.

– Desculpe, Sandra – disse-lhe, finalmente, ante a insistência da jovem para que retornasse ao apartamento – minha vida está centrada no estudo, não posso desviar de meus objetivos.

– Ora Roberto, sei de seus ideais, mas por que não compartilhá-los? Após a formatura ambos precisaremos de apoio. Mcu pai é rico. Teremos futuro promissor, sem as dificuldades dos médicos iniciantes.

– Nem pense nisso, Sandra. Jamais me ligaria a alguém com esse propósito.

– O que aconteceu naquela noite não teve nenhum significado para você?

– Foi bom. Você é tudo o que um homem pode desejar, linda e charmosa, mas não consigo vê-la como a mulher de minha vida. Se você fosse espírita saberia do que estou falando. Entendo que em muitos casos há um planejamento com relação à jornada humana, envolvendo família, profissão, casamento, filhos... Sinto que minha companheira ainda não apareceu. Espero por ela.

– Se eu não sou a mulher de sua vida, por que sinto que você é o homem da minha?

– Você fala movida pela paixão, que perturba a razão e nos leva a equivocada apreciação em nossos relacionamentos. Com o tempo verá que tenho razão.

Não houve jeito. Sandra deveria se conformar, mas, como acontece com as pessoas passionais, passou a sentir-se rejeitada.

Rapidamente o grande amor que sentia confundiu-se com um grande ressentimento, inspirando desejos de vingança próprios dos Espíritos imaturos.

Dias depois procurou a direção da faculdade e, com a conivência de uma amiga, denunciou Roberto por assédio sexual e violência contra ela.

Um processo foi aberto. Roberto viu-se na

Richard Simonetti 73

iminência de ser expulso da faculdade, o que destruiria o ideal de sua vida, os planos cuidadosamente elaborados na espiritualidade.

☐☐☐☐☐

Aqui, amigo leitor, nos deparamos novamente com o problema do desvio de rota, atingindo Espíritos com tarefas definidas na Terra, desta feita não de moto próprio, mas por alheia iniciativa.

Acontece até algo bem pior: a interrupção de uma viagem reencarnatória, com o assassinato do viajante.

É possível?

Não só é possível como acontece com frequência.

Oportuno lembrar a questão 746, de *O Livro dos Espíritos*. Kardec pergunta:

O assassínio é um crime aos olhos de Deus?

Responde o mentor espiritual:

Sim, um grande crime, pois aquele que tira a vida ao seu semelhante corta o fio de uma existência de expiação ou de missão. *Aí é que está o mal.*

O mentor enfatiza que com o livre-arbítrio podemos interromper uma vida, fazer alguém morrer antes da hora, num ato de violência.

Isso significa, obviamente, que ser assassinado não é destino de ninguém. Caso contrário, estaríamos justificando o assassino. Este seria instrumento de Deus para que o defunto tivesse *defuntado*, com perdão do neologismo redundante.

Ou você acha que Estêvão, o primeiro mártir do Cristianismo, veio para ser lapidado pelo povo ávido de sangue, por influência de Paulo, em sua perseguição insana aos cristãos?

Ou que os cristãos tinham que ser sacrificados no circo romano, atendendo às loucuras de Nero?

Ou que jovens promissores deveriam morrer vitimados por fanáticos homens-bomba?

Ou que duzentos mil japoneses estavam destinados a perder suas vidas em explosões atômicas americanas, em Hiroshima e Nagasaki...

O livre-arbítrio é uma bênção que nos permite exercitar a iniciativa, favorecendo a consciência de responsabilidade, à medida que colhemos a consequência de nossas ações.

Mas é também uma arma terrível nas mãos de almas imaturas, sempre prontas a resolver suas pendências na base da violência, não vacilando em conturbar e ceifar vidas alheias.

Richard Simonetti

No Brasil, dez mulheres morrem assassinadas, diariamente, por amantes ou cônjuges inconformados com uma separação.

Quantos planos, quantos projetos ceifados por machistas de comportamento troglodita!

Vieram para morrer assim?

Claro que não!

Se respondêssemos afirmativamente, estaríamos supondo que o assassinato é de inspiração divina. Deus estaria fazendo do assassino um instrumento para que alguém morresse de forma violenta.

Nenhum assassinato está *escrito nas estrelas*.

Está *inscrito* na bestialidade humana.

Capítulo 11

*N*a *Abrigo das Almas,* Custódio e Carlos reuniram-se com Augusto, a fim de cogitar das providências necessárias para que a missão de Roberto não fosse comprometida pelos desmandos de Sandra.

Custódio, expressão preocupada e sofrida, lamentava:

– Estou angustiado. Planos tão bem elaborados estão ameaçados por influência de uma jovem inconsequente.

Augusto ponderou:

– Não seria a primeira vez, meu caro. A imaturidade humana e as influências espirituais fazem estragos, impondo sérios embaraços aos servidores do Bem. Muitos Espíritos reencarnam após longos períodos de preparação e poucos cumprem integralmente seus compromissos, por falhas pessoais ou iniciativas alheias. Não obstante, fique tranquilo. Roberto está bem amparado pela própria retidão que lhe marca o caráter. O problema será resolvido.

ロロロロロ

Richard Simonetti

Na reitoria da Faculdade de Medicina, o doutor Sinésio Ortega, reitor, encarava a desagradável tarefa de decidir pela expulsão de um universitário acusado de assédio sexual e violência.

Experiente, sabia da promiscuidade que grassava entre os universitários naquele tempo em que a liberdade sexual começava a ser confundida com libertinagem.

Sempre surgiam problemas daquela natureza, que procurava solucionar, sem envolver as autoridades policiais e sem maiores implicações para os próprios estudantes.

Não obstante, contabilizara algumas expulsões em situações mais graves e reincidências.

O caso sob seus cuidados revestia-se de dois aspectos especiais.

Por um lado, o acusado era dos mais brilhantes alunos da universidade, comportamento irrepreensível.

Já Sandra... Além de ser aluna sofrível, não desfrutava de reputação que a recomendasse.

O problema é que ela se fazia acompanhar de seu pai, rico industrial, benemérito da instituição com generosas doações. A Universidade devia muito a ele.

Silas Crispim viera para resolver o assunto à sua maneira, pretendendo que o suposto agressor de sua filha fosse sumariamente expulso. Habituado a mandar, mostrava-se implacável contra quem o contrariava.

Roberto viera com Angelina, extremamente preocupada não obstante a serenidade que marcava seu comportamento.

Reunido o grupo, Sandra foi solicitada a dar seu depoimento. Destilou mentira venenosa, empenhada em vingar-se de Roberto, simplesmente porque ele resistira às suas investidas passionais.

Como todo Espírito imaturo, orientado pelo egoísmo, não admitia ser contrariada, nem estabelecia limites para satisfazer seu ego.

– Acho absurdo, senhor reitor, esta instituição tão respeitável abrigar um indivíduo sem escrúpulos que abusa de jovens inocentes.

Sinésio esforçou-se por conter o riso, ante a expressão *jovens inocentes,* algo que não estava de acordo com sua figura insinuante.

– Bem, senhorita Sandra, o objetivo desta reunião não é conhecer sua opinião sobre o senhor Roberto. Queremos os fatos.

Simulando uma situação que só existia em sua imaginação, a jovem informou que Roberto marcara encontro com ela no estacionamento da Faculdade, em local escuro e deserto. Ali a agarrara e derrubara, pretendendo violentá-la.

– A senhorita não gritou?

– Impossível, porquanto esse criminoso selou meus lábios com uma fita adesiva.

Angelina ouvia atônita as afirmações da jovem. Não se conteve.

– Desculpe, senhor reitor, não sei por que essa jovem está agindo assim! Conheço bem meu filho. Jamais faria isso!

– Calma, minha senhora. Estamos tentando apurar os fatos para saber a verdade. Pode prosseguir, senhorita Sandra.

– Ele estava prestes a tirar minha blusa, imobilizando-me no chão, quando ouvimos minha amiga Letícia a chamar-me. Ele se assustou e fugiu pelos fundos do estacionamento.

– Ela pode confirmar?

– Está à espera na sala ao lado.

Convocada, Letícia entrou. Tinha o mesmo tipo descontraído e exuberante de Sandra.

– Sua colega Sandra diz que foi assediada por um aluno e que a senhorita presenciou tudo. É verdade?

Letícia não parecia à vontade. Reticente, confirmou.

– Sim…

– Sabe quem foi?

– Estava escuro, não vi o agressor, que se afastou correndo, sumindo na escuridão… Vi Sandra no solo, com uma fita crepe nos lábios... Tirei-a e ela me disse que fora nosso colega Roberto, aqui presente...

– É importante que esclareçamos este ponto. A senhorita não viu o agressor.

– Não, senhor.

O pai de Sandra interveio.

– Creio que o que temos é suficiente para resolver o assunto.

– Não é tão simples, senhor Crispim. É a palavra da acusadora contra a do acusado.

– Sim, mas por que minha filha haveria de incriminar um inocente, se não tem nada contra ele? Está bem claro o que aconteceu. Esse rapaz abusou de minha filha. O que fez não merece perdão! O que esperar de futuro médico que age assim?! Será mais um a assediar as pacientes!

– Calma, senhor Crispim. Estamos tentando fazer justiça. E ainda não ouvimos o acusado. Então, senhor Roberto, o que nos diz?

Roberto estava pasmado com o comportamento mentiroso e perverso da jovem.

– Não sei de nada disso que Sandra está falando. Jamais faria algo semelhante.

– Você a conhecia?

– Sim, inclusive estive em seu apartamento, atendendo pedido seu, para ajudá-la no estudo de anatomia.

Richard Simonetti

– Foi só estudo?

– Não houve estudo. Acabamos nos envolvendo.

– Senhorita Sandra, confirma isso?

– Claro que não! Ele nunca esteve em meu apartamento. Letícia e outra colega moram comigo. Podem confirmar.

– Senhorita Letícia...

Reticente, a jovem confirmou.

– Nunca vi esse rapaz em nosso apartamento.

O reitor continuou:

– Senhor Roberto, por que haveria Sandra de inventar essa história toda só para incriminá-lo. Há alguma razão?

– Sim, senhor. Ela queria que ficássemos juntos. Eu me recusei. Só fui ao seu apartamento porque me pediu para ajudá-la no estudo de anatomia. Fiz-lhe ver que não tenho intenção de um relacionamento amoroso. Quero dedicar-me aos estudos.

Simulando indignação, Sandra gritou:

– É tudo mentira! Está querendo safar-se! Nunca tive nenhum interesse por ele!

Silas Crispim exaltou-se:

– Exijo que esse criminoso seja banido da escola! Caso contrário retirarei meu apoio e farei uma denúncia pública. É caso de polícia!

Situação delicada. O reitor não queria cometer uma injustiça, mas pesava o testemunho de Letícia, que incriminava Roberto, embora não o tivesse visto. Por outro lado, escândalo envolvendo a faculdade seria uma péssima propaganda.

Cogitava do que fazer, quando entrou um funcionário da secretaria.

– Senhor reitor, há vários alunos solicitando audiência. Pretendem testemunhar na apuração dos fatos que envolvem a denúncia feita pela aluna.

Sandra sobressaltou-se:

– O senhor vai permitir que esses desclassificados defendam o criminoso?

– Minha jovem, a justiça pede que tenhamos comedimento. Se há alguém que possa contribuir para isso, não devemos dispensar.

Em breves momentos entravam seis colegas de Roberto.

Jonas, que dividia o quarto com ele adiantou-se:

– Senhor reitor, viemos impedir que se cometa uma grande injustiça. Roberto é o melhor aluno de nossa classe, o mais dedicado e um companheiro querido. Todos devemos algo a ele, sempre disposto a nos ajudar em nossas dificuldades, sempre pronto a servir. Muitas colegas o assediam, vemos isso todos os dias. A todas trata com gentileza, jamais lhes faltando ao respeito. Diz sempre que, como espírita, tem a obrigação de agir assim.

Richard Simonetti

83

– No entanto, há uma grave acusação de assédio sexual e agressão contra ele.

O grupo agitava-se. Todos queriam falar ao mesmo tempo.

O reitor exigiu silêncio, mas permitiu que dessem o testemunho.

Um a um todos enalteceram sua integridade, seu caráter ilibado.

Jonas voltou a manifestar-se.

– Há algo que não podemos calar. Sandra é conhecida na Faculdade pela facilidade com que inicia e termina relacionamentos, em sucessivas aventuras, ao passo que Roberto sempre resiste às investidas das colegas, empenhado em seus estudos.

Silas Crispim não se conformava.

– Senhor reitor, o senhor vai dar ouvidos a esse bando de marginais que querem denegrir a reputação de minha filha para salvar o colega? Exijo que haja uma punição exemplar!

– Por favor, senhor Crispim, vamos manter a calma.

Os ânimos se alteravam quando tocou o telefone.

O reitor atendeu. Após ouvir algo, disse, antes de desligar.

– Peça que entre.

E ao grupo:

– Há ainda alguém que deseja testemunhar.

Em breves momentos entrava o doutor Oton Giraldi, o mais famoso professor da Faculdade, cirurgião cardíaco.

Todos silenciaram ante a presença do emérito médico, respeitado nos círculos acadêmicos.

– Tomei conhecimento do processo contra meu aluno Roberto, cujo caráter é digno de nosso respeito. Tão digno que está permitindo que siga adiante essa acusação contra ele, quando poderia tranquilamente eximir-se dizendo onde estava quando se deu o suposto atentado.

– Professor, por favor, não se preocupe – adiantou Roberto.

– Não, não é justo que você responda por crime que não cometeu.

E dirigindo-se aos presentes o doutor Oton esclareceu:

– No horário em que supostamente houve a agressão, Roberto estava comigo. Tratava-se de delicado assunto particular e pedi-lhe que nada falasse a respeito.

A intervenção do médico mudava o rumo dos acontecimentos, mas Silas Crispin não se conformava.

– Vejo que o senhor é amigo desse criminoso. Certamente quer livrá-lo das consequências de seu ato vil. Só aceitarei seu testemunho se explicar por que não pode revelar o que ele fazia em sua companhia.

Sem alterar-se, o doutor Oton respondeu:

— O senhor não me conhece ou saberia que não costumo faltar à verdade. Apenas confirmo que Roberto esteve comigo na noite da suposta agressão.

O reitor interveio:

— Senhor Crispim, o doutor Oton é merecedor de nossa confiança. Considero seu testemunho a solução definitiva para o problema. E não irei cobrar dele explicações sobre o que estava fazendo, certamente de ordem particular.

— E minha filha, como fica?

— Poderemos continuar as investigações para identificar o agressor.

Sandra estava possessa. Gritava, descontrolada:

— Por que procurar o agressor se eu o estou mostrando? Foi ele, foi esse criminoso quem me atacou!

Com o amparo da amiga e do pai, Sandra foi retirada do recinto.

— Creio que podemos dar o assunto por encerrado — concluiu Sinésio Ortega.

Roberto abraçou os amigos, que logo saíram em eufórica algazarra. Em seguida apresentou a mãe ao doutor Oton, que explicou:

— Roberto não estava fazendo nada errado, dona Angelina.

Angelina sorriu.

– Não tenho nenhuma dúvida sobre isso, doutor. Meu filho fala muito a seu respeito, conheço seu valor e sua seriedade.

– Bondade dele, mas felizmente está tudo bem.

Ao lado, Carlos e Custódio sorriam felizes.

A ameaça ao futuro de Roberto estava superada.

Quanto ao assunto particular, envolvia líder político que sofrera uma ameaça de enfarto e fora atendido em sua própria residência pelo doutor Oton, que se fizera acompanhar de Roberto.

O paciente lhe pedira silêncio sobre a ocorrência, algo típico de homens públicos preocupados em manter uma imagem de super-homens, saúde perfeita.

Capítulo 12

*N*o hospital, acompanhada de Rino, Dolores e Cristóvão, Cristina, já com as dores do parto, sentiu a mesma emoção que estava presente sempre que entrava num hospital.

O cheiro característico, envolvendo material de limpeza e desinfetantes usados em larga escala mexiam com sua sensibilidade, evocavam seus ideais relegados a segundo plano.

Não estava ali para cuidar da saúde humana.

Viera ser cuidada.

Havia a expectativa da maternidade, a emoção do primeiro filho, mas, também, indefinível angústia...

Embora contando com lar confortável, marido atencioso, filho prestes a chegar, faltava algo que não sabia explicar.

Sentia-se como um motorista que transita por estrada desconhecida de belas paisagens, mas com a sensação de que errou o caminho, de que não era por ali que deveria seguir.

Acomodada no quarto, sentia as primeiras contrações.

– Então, querida, tudo bem? – perguntou Rino, carinhoso.

Ela, sorriso dolorido:

– Tirante as dores, está tudo bem.

– O médico falou-me que talvez deva submetê-la a uma cesariana, porquanto está havendo problemas com o parto normal.

– Vamos tentar, até onde der.

– Você é corajosa.

– Mamãe sempre diz que nós mulheres devemos sofrer as dores do parto, como está na Bíblia.

– É que nos tempos bíblicos não havia cesariana... Certamente, na atualidade Jeová resolveu castigar com menor rigor as filhas de Eva que herdaram suas culpas.

Rino era o que se convencionou chamar católico não praticante, eufemismo com o qual justificava o fato de que não dava a mínima para a religião.

Não obstante a irreverência, era homem decente. Levava a sério sua profissão, amava a esposa, queria família numerosa. Suas brincadeiras refletiam o empenho por esconder a preocupação.

As horas se passavam, as contrações se tornavam mais frequentes, acompanhadas de dor, mas o parto não acontecia.

Não havia como evitar a cesariana. Cristina foi levada para a sala de cirurgia, e pouco depois o choro de uma criança anunciava o nascimento da filha Marisa.

Mais alguns dias e Cristina retomava a rotina do lar, agora com os cuidados da recém-nascida. O ideal da carreira médica ficava relegado a um futuro incerto.

Detalhe interessante: a cesariana, que segundo a Organização Mundial de Saúde, seria uma necessidade para apenas quinze por cento dos partos, vai se tornando mera opção, com índices que em alguns hospitais superam em muito os partos normais.

Não se leva em consideração que se trata de uma cirurgia de grande porte, a envolver riscos muito maiores.

Segundo estatísticas, a parturiente fica sujeita a aderências, lesões, principalmente na bexiga, infecções, hérnias, hemorragias, problemas com anestesia, embolia, dificuldade para amamentar...

Não é razoável contrariar a Natureza para atender ao comodismo do médico (fica mais fácil com hora marcada) ou aos temores da gestante com relação às dores do parto, o que, diga-se de passagem, estão bastante reduzidas em face dos recursos atuais.

A propósito, leitor amigo, transcrevo oportuno texto da doutora Cristiane Assis, médica ginecologista especializada em medicina fetal, da Associação Médico Espírita, respondendo a uma consulente:

Richard Simonetti

Cientificamente, sabemos que os mecanismos envolvidos no trabalho de parto são muito importantes para que a criança nasça nas condições físicas adequadas. Trabalhos especializados também têm demonstrado que os registros psíquicos na criança que nasce de parto cesáreo podem não ser os mais adequados, podendo, ao longo de sua vida, ter influências importantes. Diante desses fatos, o parto abdominal (cesariana) só está indicado nos casos de risco à saúde materna ou fetal, ou ainda na falha do parto normal.

Mesmo nos casos de cesárea, sabemos que as contrações induzem à produção de hormônios que auxiliam a criança a nascer em melhores condições. A conduta obstétrica depende muito do médico envolvido. Estudos demonstram que uma cesárea anterior não contraindica o parto normal, pois outro bebê está envolvido no processo, e hoje certamente você pode ser uma pessoa diferente do que na gestação anterior. Entretanto, para que isso ocorra, alguns fatores são importantes:

Participação ativa do médico, que deseje tanto quanto você que a criança nasça de parto normal. Seu bebê pode querer nascer a qualquer hora do dia ou da noite e é essencial que ele esteja disposto a recebê-lo. A tranquilidade do médico e sua felicidade em fazer o que faz é importante para que ele possa se conectar com a equipe espiritual que auxiliará o parto. Estando tudo bem com você e com o bebê fisicamente, essa é a melhor via de parto.

Participação ativa da parturiente no processo. O fato de não ter tido dilatação no parto anterior não é diagnóstico fechado para essa gestação. Sabemos que ansiedade e nervosismo maternos podem influenciar nesse caso. Portanto, para sucesso do parto normal, é essencial que esse realmente seja o seu desejo. O parto normal dói, isso é uma realidade, mas é uma dor suportável e que passa logo após o nascimento do bebê. Porém, ansiedade e nervosismo aumentam a quantidade de receptores para a dor, fazendo com que ela seja maior. É por esse motivo que a dor não é a mesma para todo mundo.

Participação ativa do bebê: como você sabe, o Espírito reencarnante também tem seus receios e preocupações. Se a mãe que está consciente do que está acontecendo já fica preocupada, imagine ele que teve sua tranquilidade intraútero interrompida e não sabe o por quê. É preciso que a mãe o acolha com muito amor nesse momento, explicando o que está acontecendo, que ele é muito amado e esperado com saúde e que não tem motivos para se preocupar, uma vez que estão junto com vocês, durante todo o processo, muitos amigos espirituais que os auxiliarão para que as coisas ocorram conforme o planejado. Para isso, basta que vocês dois estejam com o Cristo em seus corações, facilitando assim sua tarefa. Independentemente da via de parto, é importante você explicar ao seu bebê que, assim que ele nascer, o pediatra o levará para alguns cuidados, e assim que possível vocês estarão juntos.

É lógico que existem casos em que realmente o parto via vaginal não é possível e, aí sim, a cesárea é mais do que bem indicada, mas é importante lembrar que ela sempre deve ser a última opção.

ロロロロロ

A Faculdade de Medicina ficaria ainda mais distante para Cristina, um ano depois, quando voltou a engravidar.

Ambos desejavam mais filhos. Cristina, porque fazia parte de seu planejamento espiritual. Rino, porque estava enquadrado na condição dos Espíritos que sem projetos especificados ajeitam-se de conformidade com as contingências da vida, de permeio com suas tendências. Gostava de crianças.

E nasceram desta feita gêmeos: Marcos e Juvenal.

Detalhe interessante, amigo leitor: ambos estavam ligados a Roberto e Cristina por seculares laços de afetividade, membros de sua família espiritual. Deveriam nascer como seus filhos. Vieram de pai diferente, em face do desvio de rota de Cristina. Inseriram-se no *Plano B,* porquanto era imperioso que reencarnassem, atendendo aos seus próprios projetos.

Quanto a Marisa, era Espírito ligado a Rino, atendendo simplesmente à lei de afinidade, já que ambos não possuíam suficiente maturidade espiritual para uma encarnação programada.

Isso acontece com frequência. Nem todos os que reencarnam obedecem a roteiro minucioso, tendo em vista sua incapacidade para assumir compromissos.

Há, digamos, um programa sumário, uma reencarnação a mais, promovendo experiências que amadurecem lentamente o Espírito, até que se habilite a tomar o destino em suas mãos, deixando de ser *empurrado* por ele.

Capítulo 13

*A*os vinte e quatro anos, quartanista de Medicina, aluno brilhante, Roberto já definira a especialidade a que se dedicaria: cirurgia cardíaca.

Pesara em sua decisão a convivência com o doutor Oton Giraldi.

Bem antes do episódio com Sandra, havia respeitoso relacionamento entre ambos.

O jovem admirava seu jeito simples, sempre se impondo perante os alunos por sua sabedoria e discernimento.

Oton, por sua vez, afeiçoara-se àquele aluno aplicado e idealista que lembrava a si mesmo, nos tempos de estudante. Percebia seu potencial como cirurgião, a evidenciar-se na destreza manual e na segurança de suas intervenções, nos exercícios de anatomia.

Aqui, leitor amigo, vale lembrar que os Espíritos que reencarnam com tarefas específicas em determinado setor de atividade, recebem tratamento especial dos mentores espirituais.

Um professor será ajudado para ter memória ativa, cordas vocais saudáveis, facilidade de expressão.

Richard Simonetti

Um atleta terá corpo físico adequado à modalidade esportiva escolhida.

Um médico cirurgião trará sistema nervoso bem equilibrado, mãos hábeis para o desempenho de suas funções.

Naturalmente refiro-me aos Espíritos experientes e amadurecidos que vêm à Terra com funções definidas.

Não obstante, mesmo os que reencarnam sem um projeto poderão superar limitações, aprimorar habilidades, em determinada atividade, se exercitarem os valores da dedicação e da disciplina.

Tanto pode fracassar aquele que foi bem preparado, quanto poderá triunfar aquele que não reencarnou com tal benefício.

Em última instância, prevalece o esforço individual.

ロロロロロ

Definindo-se pela cirurgia cardíaca, Roberto, mais do que nunca, sentia vibrar nele o ideal de trabalhar em favor da saúde humana, cuidando dos males responsáveis pela maior incidência de óbitos – as doenças coronarianas.

O estudo centralizava sua atenção, embora sempre cercado de colegas ansiosas por se infiltrarem em seu coração.

Experimentava os anseios da mocidade. Imaginava-se casado, lar cristão, filhos queridos, mas algo no mais recôndito de sua consciência dizia que não era chegado o tempo de preocupar-se com isso.

Frequentemente conversava sobre o assunto com Angelina.

– Curioso, mamãe. Guardo ideais relacionados com alguém que me permita concretizar uma união que me parece programada desde que nasci. No entanto, apesar de ter contato com tantas jovens interessantes e belas, principalmente na Faculdade, onde participam das mesmas atividades, dos mesmos sonhos, não consigo ir além da amizade. Percebo em algumas a intenção de uma aproximação, com insinuações inocentes ou maliciosas, mas não me sinto atraído. É como se meu coração estive fechado a esse tipo de experiência, em compasso de espera.

– É assim mesmo, meu filho, quando reencarnamos com definição envolvendo o casamento. Ficamos como que perdidos em nossos anseios, até que surja a pessoa certa. Aconteceu comigo. Alguns jovens passaram por minha vida. Eu me sentia ao mesmo tempo realizada, por ver que me cortejavam, mas frustrada. O cérebro animava-se; o coração dizia não.

– E com papai?

– Ah, meu querido! Com ele foi diferente. Quando nos encontramos logo percebemos que fôramos feitos um para o outro. Tivemos namoro breve, mal noivamos, ansiosos por dividir o pão. Foi uma existência modesta, sem grandes realizações materiais, mas de imensa felicidade. Não há nada mais gratificante do que conviver com almas afins. E o seu nascimento coroou de bênçãos nossa união.

— Imaginemos que eu tenha uma alma de eleição, alguém que deva encontrar e que será minha esposa. E se eu ou ela nos envolvermos num relacionamento não programado e seguirmos caminho diferente, como num desvio?

— Creio que acontece com frequência, em face da imaturidade humana.

— E como ficará aquele que foi prejudicado pelo desvio do outro?

— Sua jornada será redirecionada. A programação maior, acima de todas, é nossa evolução, rumo à perfeição, nos caminhos de Deus. As experiências humanas são meros detalhes. O fundamental é manter fidelidade à própria consciência e seguir em frente, sem esmorecimento, haja o que houver.

— Bem, nesse particular entendo que meu compromisso maior é com a Medicina. Sinto-a em meu sangue, nas minhas aspirações mais caras, como o ar que respiro. Enquanto puder trabalhar pela saúde humana estarei bem, ainda que os anseios do coração tardem em concretizar-se.

Angelina abraçou o filho, feliz.

– Deus o abençoe, filho querido, amparando-o e inspirando-o em seu ideal. Não há nada mais sublime na jornada humana. É servindo que cumprimos o *amai-vos uns aos outros* ensinado por Jesus, caminho das mais sagradas realizações do Espírito imortal.

Roberto emocionava-se com a sabedoria da genitora, perfeitamente integrada nos valores do Evangelho. E nunca se esquecia de agradecer a Deus por contar com seu apoio, sua presença confortadora.

Capítulo 14

*R*oberto jamais poderia imaginar que sua amada, a mulher de sua vida, entrara em caminho diferente, inviabilizando a esperada união.

Sentia-se frustrado, mas sua situação era menos complicada que a de Cristina.

Ele a espera de definir seu futuro no terreno afetivo.

Ela já o definira mal, como o motorista que se desvia da rota planejada.

Sentimentos contraditórios disputavam espaço no coração da jovem.

Por um lado, o amor pelos filhos, o carinho do marido, a família unida, situação financeira estável, vida tranquila.

Por outro, intuía que havia algo terrivelmente errado em sua existência, fora de compasso entre o idealizado e o realizado.

Dolores era sua confidente nos momentos em que pesava mais seu conflito interior.

— Não sei por que, mamãe, esta insatisfação que me oprime. Fico pensando na faculdade de Medicina. Imagino seja decorrente da frustração de

Richard Simonetti

103

meus sonhos, mas parece que há algo mais grave, que ainda não consegui definir.

— A felicidade perfeita não existe na Terra, minha querida. Sempre há uma dose de insatisfação. Creio que é assim que Deus age para que não estacionemos. Quando nos sentimos plenamente realizados, perdemos o estímulo para crescer, buscar novos horizontes, novas realizações...

— A senhora falou bem. Novas realizações! Deve ser isso.

— Sim, mas no momento, seu compromisso é com os filhos. Talvez, mais tarde, possa retomar seus sonhos, o ideal de ser médica...

— Ah mamãe! Bem se vê que a senhora não está familiarizada com o assunto. São seis anos de Faculdade, três de residência, praticamente dez anos, se tudo correr bem. Não posso esperar as crianças crescerem. Por outro lado, não posso deixá-las de lado, justamente no período em que mais precisam de mim.

— Então, que se cumpra a vontade de Deus. Como boa filha, faça o que Nosso Pai espera de você.

— Esse é o problema. Não sei se estou cumprindo o que Deus pretende a meu respeito.

— E Rino, tudo bem entre vocês?

— Mais ou menos. Ele anda meio esquivo e eu

não consigo vê-lo como o homem de minha vida. É estranho, mas é assim que sinto...

– Pare de pôr minhocas na cabeça, filha. Cuidado com isso. Casamento é assim mesmo. Muita paixão no começo, depois é viver como irmãos, respeitando-se e fortalecendo os laços conjugais.

As dúvidas de Cristina, sua insatisfação, repercutiam no relacionamento com Rino, que com o tempo passou a reclamar de sua displicência, quase frieza no relacionamento afetivo.

Na verdade, passada a ardência passional, ela não conseguia ver no marido senão um amigo, que poderia ser muito querido, não fora o fato de que a visão dele era diferente, sempre ansioso pela comunhão íntima, nos domínios do sexo, sempre irritado por senti-la distante, desmotivada.

Não tardou em buscar experiências extraconjugais, justificando-se perante si mesmo que ainda era ainda jovem e que a esposa não correspondia às suas expectativas.

Amava Cristina e os filhos, e sem pretender magoá-los nem abandoná-los, adotou o comportamento dúbio dos que defendem a integridade familiar, porém não respeitam os compromissos do matrimônio.

¤¤¤¤¤

Richard Simonetti

Fernando preocupava-se com Cristina.

Procurou Augusto, na *Abrigo das Almas*.

O dirigente, familiarizado com situações assim, buscava tranquilizá-lo:

— Cristina vive o drama de milhões de Espíritos que reencarnam com jornada programada e acabam mudando o rumo. Isso não significa que perdem a existência. A avaliação da jornada humana não é tão simples. Podemos mudar, seguir por vias alternativas e, ainda assim, valorizar a experiência reencarnatória.

— O que posso fazer por ela?

— Continue inspirando-a no cumprimento das atuais obrigações, no caminho que escolheu.

— Fico pensando em Roberto, em suas dificuldades em face da situação atual de Cristina. E o que será deles em eventual encontro?

— Fatalmente acontecerá. O destino baterá à porta, gerando sofrimentos para ambos. Roberto é um Espírito amadurecido, consciente de suas responsabilidades, e tem a vantagem do conhecimento espírita. Saberá lidar melhor com a situação, tendo a Medicina por prioridade.

— Não seria importante, na atual conjuntura, evitar esse contato?

— O destino de Roberto e Cristina manda que se reencontrem, conforme planejaram e atendendo à atração das almas afins. O que vai acontecer, então, só Deus sabe...

Capítulo 15

*N*o início de 1971, no salão nobre da Faculdade de Medicina, acontecia a cerimônia de colação de grau dos formandos.

Entregues os diplomas, Angelina ouviu emocionada o orador da turma, o amado filho.

Roberto, no esplendor de seus 26 anos, esbelto, olhos iluminados pelo ideal, expressão sorridente de quem vê transformado em realidade um sonho acalentado, mostrava em seu discurso o que viera fazer na Terra.

Após breves saudações formais, dirigindo-se a autoridades, professores e colegas, acentuou:

– ... A existência humana é marcada por motivações e anseios que nos norteiam, particularmente a nós, candidatos ao sacerdócio da Medicina.

Se bem analisarmos, perceberemos que circunstâncias variadas foram mobilizadas em favor dessa realização, como se a Mão do Destino estivesse a nos guiar. Estou certo de que não é por acaso que nos formamos na ciência da saúde humana.

Se o diploma atende às nossas expectativas e de nossos familiares, desejo ardentemente que possamos corresponder às expectativas de Deus, que colocou a Medicina na Terra como manifestação de Sua misericórdia, e os médicos como seus representantes em favor da saúde humana para que as pessoas aproveitem melhor a jornada terrestre.

No meu entender, o bom médico não é o mais estudioso, o mais sapiente, o mais inteligente, mas, sobretudo, aquele que cumpre no Mundo o que veio fazer, habilitando-se à inspiração e ao apoio das forças que nos governam.

Praza aos Céus jamais entremos por desvios como da comercialização do saber médico, quando o dinheiro coloca-se à frente do compromisso e a ambição supera o ideal, anestesiando a consciência, ricos diante dos homens, paupérrimos diante de Deus.

Abençoe o Senhor nossos melhores propósitos, sustentando-nos o ideal...

O breve discurso de Roberto, sem leitura de texto, talvez não fosse plenamente compreendido pelos colegas, mas havia tal vibração em suas palavras e tal envolvimento de mentores espirituais, que a emoção dominou o auditório e ele foi aplaudido calorosamente.

Custódio, Augusto, Carlos, Fernando e outros amigos da *Abrigo das Almas* estavam presentes, felizes, comemorando seu sucesso.

Ele estava no bom caminho, conservando a consciência dos compromissos assumidos e disposto a cumpri-los integralmente.

Capítulo 16

*C*ristóvão e Dolores preocupavam-se com Cristiano.

Aos 25 anos, formado engenheiro agrônomo, deveria ajudar o pai na administração de três fazendas, e tinha competência para isso.

Não obstante, não parecia interessado, nem disposto a assumir suas responsabilidades, mais preocupado em divertir-se, tirando todo proveito da Vida, sem corresponder ao que a Vida dele esperava, deixando-se levar por velhas tendências.

Era diferente de Cristiam, dois anos mais novo, que morava com Cristina em Sorocaba, onde terminava o curso de administrador de empresas, sempre atento e dedicado. Nele repousavam as melhores esperanças de Cristóvão.

Funesto acontecimento lançaria sombras sobre a família.

Cristiano exagerara na bebida em uma festa e, dirigindo precariamente seu automóvel ao retornar ao lar, sofrera grave acidente

Vítima de concussão cerebral, foi imediatamente internado na unidade de terapia intensiva, num hospital em Sorocaba.

Richard Simonetti

O médico informou, constrangido:

– Infelizmente, a lesáo cerebral é grave e irreversível. Cristiano é paciente terminal.

Dolores e Cristóváo, que se faziam acompanhar por Cristina, ouviram, estarrecidos, a sentença de morte para o filho.

– Mas doutor – perguntou emocionado o pai – náo poderemos removê-lo para centro maior? É jovem, haverá de reagir!

– Sinto muito. Náo há nada que possa ser feito. Gostaria que os senhores conversassem com Alice, nossa assistente social.

O médico retirou-se. O grupo ali se deixou ficar, a orar com fervor, à espera de um milagre.

Pouco depois entrou uma jovem.

– Sou Alice. Peço-lhes desculpas por tratar de assunto do qual provavelmente náo desejariam cogitar, mas é imperioso que falemos dele agora.

Após breve e constrangida pausa, explicou:

– Queremos pedir sua autorização para aproveitamento dos rins de Cristiano em transplantes, beneficiando dois pacientes.

Dolores reagiu.

– Náo acredito! Meu filho está lutando pela vida e você já o considera morto!

– Perdoe, senhora, mas é imperioso que conversemos a respeito. Cristiano está em morte cerebral, como informou o doutor Mateus. Seu coração continua a pulsar porque está sustentado por aparelhos, mas em breve vai parar e é indispensável que os rins sejam retirados agora. Após a falência cardíaca não mais poderemos aproveitá-los.

Dolores, sempre tão calma e confiante, desvairava-se.

– Não concordo! Não quero o corpo de meu filho profanado!

– Tudo bem, desculpe tratar deste assunto numa hora tão delicada. Vou deixá-los a sós por alguns minutos a fim de que resolvam.

Cristina tentou convencer a mãe.

– Mamãe, temos que encarar a realidade. Meu irmão está morto. Não vejo por que não favorecer pessoas com o aproveitamento de órgão que em breves horas estará em decomposição. Não é melhor doá-lo, um ato de caridade, em nome de Cristiano? Certamente ele aprovaria!

Dolores era forte e decidida, mas não estava preparada para o que lhe era solicitado. Não superara a ideia da profanação e a dor a impedia de exercitar um mínimo de racionalidade.

Além do mais, presa aos dogmas de sua crença, pensava no juízo final. Quando houvesse a ressurreição, como ficaria o filho, tendo órgão seu em corpo alheio?

Cristina apelou para Cristóvão.

– O que o senhor acha, papai?

Richard Simonetti

Sem ânimo para cogitar do assunto em termos racionais, ele concordou com a esposa.

– Seja feita a vontade de Dolores.

E por mais que Cristina se empenhasse, a decisão foi irredutível.

Em breves horas o coração de Cristiano parou de funcionar, inutilizados pela morte rins que poderiam sustentar outras vidas.

ロロロロロ

No Brasil, perto de cinquenta mil pessoas morrem em acidentes de trânsito, anualmente, em grande parte causados por álcool e drogas.

Fatalidade?

Se respondermos afirmativamente, estaremos admitindo que esses hábitos nocivos não guardam relação com tais mortes, tão numerosas que até parece estarmos numa guerra.

Poderemos, também, ignorar que devemos ser mansos como as pombas e prudentes como as serpentes, bem como cultivar a oração e a vigilância, conforme ensina Jesus.

Se tudo está predeterminado, por que ser prudente?

Por que lutar contra a tentação?

Para que cultivar a oração?

Posso embriagar-me e ser inconsequente na condução de um veículo, já que um desastre acontecerá apenas se estiver *escrito nas estrelas*.

Lamentável absurdo em que incorre muita gente!

Viver é um risco! E risco bem maior corremos quando não observamos as regras de bem viver.

Se ao descer por uma escada escorrego e fraturo a perna, posso debitar o acidente a duvidoso carma ou mais acertado seria falar em evidente descuido?

A outra questão, amigo leitor, envolve a doação de órgãos e, paralelamente, a duração da vida.

Muita gente prestes a desencarnar pode receber uma moratória, a partir de órgão transplantado.

Há milhares de pacientes nessa condição, necessitados de fígado, rins, pulmões, coração...

As filas são imensas.

Por que não beneficiá-los com órgãos de um familiar que está morrendo, candidato certo a defunto?

Os jovens normalmente não têm restrição à utilização de seus órgãos, numa eventualidade e só eles podem doar, porquanto, depois de certa idade, peças desgastadas pela *quilometragem* seriam péssimas para *reposição*.

O problema, geralmente, é com os pais.

Por isso o assunto deve ser discutido em

Richard Simonetti

família, com a disposição dos genitores em respeitar a vontade dos filhos, ainda que lhes possa parecer uma profanação, como aconteceu com Dolores.

Observe, leitor amigo, que a decisão em doar órgãos de quem está em morte cerebral, pode resultar em sobrevida para alguém que está com o cérebro vivo.

Dependerá, portanto, da família, a chance para que permaneça vivo o paciente a ser favorecido com uma *recauchutagem* física.

E há outro ângulo: quando o doutor Christian Barnard, na década de 60, no século passado, iniciou a era dos transplantes de coração, a sobrevida dos pacientes transplantados era mínima, em face de mecanismos de rejeição física, fantasma que rondava esse tipo de procedimento, o que levou os médicos a suspenderem os transplantes cardíacos.

A partir de 1979, com a descoberta da ciclosporina, droga imunossupressora que controla a rejeição, os transplantes de coração voltaram, desta feita para ficar, com grandes índices de sucesso, sobrevida dilatada para os transplantados.

Podemos dizer que isso aconteceu porque os pacientes passaram a merecer uma moratória?

Evidentemente, não.

Deus nos concede a vida. A qualidade e duração dela dependem de nós, dos progressos da Medicina.

A espécie humana está programada para viver de oitenta a cem anos. Salvo problemas cármicos de exceção, a longevidade depende do exercício do livre-arbítrio, tanto no sentido de preservar e prolongar a própria vida, bem como preservar vidas alheias, como acontece quando alguém doa seus órgãos na morte, para que outros prolonguem sua jornada na vida.

Já pensou, leitor amigo, na alegria de contribuir para que o candidato a defunto não *defunte* de pronto, sinalizando à senhora morte que deverá esperar algum tempo para levá-lo?!

Capítulo 17

*A*luno brilhante, Roberto não teve dificuldade em conseguir a residência médica, especializando-se em cirurgia cardíaca.

Durante três anos dedicou-se a exaustivo treinamento, sob a tutela atenciosa do doutor Oton Giraldi.

O querido professor não era adepto de nenhuma religião. Não obstante exercitava o mais importante – uma existência de religiosidade, idealista, interessado em curar, não em ganhar dinheiro.

Por isso afinara-se tanto com Roberto. Não raro conversavam sobre Espiritismo e o velho médico, ante as informações que ouvia de seu pupilo sobre as vidas sucessivas, considerava que se aquilo tudo fosse verdade, certamente ambos tinham sido bem preparados antes de reencarnar.

Eram portadores de conhecimentos e habilidades intuitivos que certamente não haviam sido adquiridos pelo mero estudo ou exercício da profissão, porquanto outros alunos, igualmente dedicados, não se situavam no mesmo nível.

Richard Simonetti

Introduzido à intimidade doméstica pelo discípulo amigo, Giraldi nutria grande simpatia por Angelina, admirando sua serenidade, inteiramente dedicada ao filho e profundamente ligada ao falecido marido. Falava dele com encantadora simplicidade, como se continuasse convivendo com o morto, o que efetivamente acontecia.

Angelina tinha grande sensibilidade psíquica e rotineiramente guardava as lembranças de atividades desenvolvidas durante as horas de sono, marcadas pela presença do marido inesquecível.

Vezes inúmeras Custódio manifestava-se no Centro, utilizando-se de suas faculdades mediúnicas. Eram momentos de grande alegria para Angelina, que sentia o marido alma de sua alma, como se ambos estivessem fundidos no processo mediúnico, o que lhe proporcionava inefável ventura.

ㅁㅁㅁㅁㅁ

Giraldi preocupava-se com o futuro do discípulo no campo afetivo.

Não raro conversavam.

– Então, meu caro doutor, já encontrou sua eleita? Vejo você assediado por jovens enfermeiras, pacientes e médicas. É o melhor partido de nosso hospital. Profissional requisitado, bonitão, futuro promissor!

Roberto sorria.

– Tenho certeza de que minha alma gêmea vai chegar um dia.

– Alma gêmea? Foi criada junto com você?

– Não, doutor, não é assim que funciona. Há grupos de Espíritos que evoluem juntos, as chamadas famílias espirituais, formadas por almas afins. Alma gêmea é uma expressão para designar o membro da família espiritual com o qual tenhamos afinidade maior.

– Todos temos uma alma gêmea?

– Sim. A misericórdia divina nos proporciona essa bênção, para que possamos enfrentar com maior segurança os desafios da existência.

– Então, estou mal, porquanto até hoje não a encontrei. Será por isso que não me casei?

– Creio que o senhor casou-se com a Medicina e certamente planejou um tipo de experiência em que o casamento não foi incluído.

– Faz sentido, porquanto quando jovem tive minhas namoradas, gostei de algumas, mas nunca me senti animado com a ideia de *amarrar-me*. Cheguei a ficar noivo duas vezes.

– O que houve?

– Quando se aproximava o dia do casamento começava a sentir uma inquietação tão grande, uma pressão tão forte, que saía pela tangente. E olhe que eram excelentes moças. Dariam esposas virtuosas.

Richard Simonetti

Gostava delas, mas a perspectiva do compromisso me constrangia e atormentava. Essa reação inexplicável perturbava-me, porquanto desejava casar, ter família, filhos...

— Imagino como terá sido difícil romper esses compromissos.

— Era terrível, um papelão diante delas, dos pais... Não gosto nem de lembrar... Mas, e você? E sua alma gêmea?

— Olhe, doutor, tenho plena convicção de que ela anda por aí. No momento oportuno nos encontraremos.

— Como pode ter essa certeza?

— É algo tão entranhado em mim quanto a vocação para a Medicina. Tanto no terreno afetivo quanto no profissional, sinto que programei essas experiências.

— Acontece com toda gente?

— Nem sempre. Há Espíritos imaturos para os quais não adianta fazer projetos, porquanto dificilmente irão cumpri-los.

— E os que os fazem, cumprem?

— Infelizmente, nem sempre, porquanto a visão que temos das realidades existenciais, no mundo espiritual, fica prejudicada quando reencarnamos e vestimos a armadura de carne que inibe nossas percepções. Podem prevalecer desvios na Terra que põem a perder roteiros do Céu.

– Não teme que isso possa acontecer com você ou com sua alma gêmea?

Roberto sorriu, dando três toques na mesa com o nó dos dedos.

– Isola, doutor! Espero que não.

Capítulo 18

*E*m 1980, infarte fulminante encerrou a carreira vitoriosa do doutor Oton Giraldi, aos 80 anos.

Vitoriosa não apenas pelas milhares de cirurgias bem sucedidas, mas, sobretudo, por ter honrado a profissão com uma dedicação sem limites ao ensino e à ação em favor da saúde humana.

Não conquistou na Terra as riquezas que as traças roem e os ladrões roubam, conforme a expressão evangélica. Acumulou imensos tesouros no Céu, pelos benefícios prestados no sagrado instituto da saúde humana.

De sua vitória falavam milhares de orações de pacientes agradecidos que pediam a Deus abençoasse o dedicado benfeitor.

Roberto ficou desolado. Não tivera nem mesmo a possibilidade de socorrer o mestre e amigo, colhido pela morte em sua casa de campo, no interior, à distância de recursos.

Não obstante, lembrava-se de que ele sempre desejara que Deus o levasse de pronto, sem estágio em leitos hospitalares, conduzido sem delongas pela morte.

Richard Simonetti

Deixaria saudades.

A morte não os afastaria. Tão logo se adaptou à vida espiritual, o que não tardou, tendo em vista sua fulgurante inteligência e sua extremada dedicação à Medicina, foi integrado na equipe espiritual que apoiava Roberto em seu trabalho. Tornou-se seu principal colaborador, em face da afinidade que os unia.

Sabia você, leitor amigo, que os médicos têm acompanhamento espiritual?

A saúde humana é cuidado prioritário da Espiritualidade Maior, porquanto o grande objetivo da jornada terrestre é nossa evolução.

Fica mais fácil aprender, desenvolver potencialidades, cultivar a reflexão, aprimorar o comportamento, concretizar projetos, exercitar virtudes, tendo corpo saudável.

A doença é mera consequência dos desvios de comportamento nas sendas do mal, nos excessos, na falta de cuidados com o corpo. Vem para nos avisar que estamos administrando mal os dons da Vida.

E porque a saúde é tão importante, movimenta-se a espiritualidade, inspirando os médicos.

No futuro, quando a Terra transformar-se em *Mundo de Regeneração* e houvermos superado as reencarnações expiatórias, rapidinho caminharemos para nova promoção de nosso planeta, em *Mundo*

Ditoso, conforme a escala proposta por Allan Kardec, em *O Evangelho segundo o Espiritismo.*

Nesse tempo distante as doenças estarão erradicadas e os seres humanos viverão em perfeita harmonia com a Natureza.

Então, literalmente, morreremos de velhice, nos limites biológicos de nossa espécie.

Quando chegar nossa hora, simplesmente cerraremos os olhos e partiremos tranquilos, sem problemas de saúde, sem definhamento, sem agonia, sem dificuldade de adaptação à vida espiritual, como ocorre hoje.

A partir da presença do doutor Oton a seu lado, Roberto tornou-se ainda mais eficiente, gênio em sua profissão.

Ainda novo, aos trinta e cinco anos, conquistara o *status* de grande mestre em cirurgia cardíaca.

Não faltavam clientes. A todos, ricos, pobres e remediados, atendia com a gentileza e o cuidado que marcam os médicos que honram a profissão, perfeitamente conscientes de suas responsabilidades.

Não faltavam também, mais do que nunca, candidatas a experiências amorosas.

Clientes, enfermeiras, médicas, todas suspiravam quando sob seus cuidados ou direção, movimentando os recursos da sedução, mas Roberto não se sensibilizava.

Richard Simonetti

Simplesmente preservava-se para o momento em que encontraria a mulher de sua vida, alguém que fazia parte de seu passado, afinidade desenvolvida a partir de múltiplas experiências em comum.

Angelina preocupava-se. Queria ver o filho casado, uma companheira, filhos... Abraçar seus netos...

Sempre o cobrava.

– Não se preocupe, mamãe, estou esperando minha alma gêmea.

– Talvez ela esteja por aí, filho. É preciso dar--lhe uma chance! Você rejeita todas as jovens que o procuram! Cuidado, ela pode estar nesse meio.

– Fique tranquila. Quando aparecer, saberei!

Roberto tinha razão. Sua intuição não estava falhando. Somente não sabia que teria desagradável surpresa.

Capítulo 19

*H*á tempos Dolores sentia leve pressão no peito, sem dar atenção, até que aconteceu.

Em plena madrugada, veio violenta dor à altura do coração, irradiando-se pelo braço esquerdo. Foi tão forte que desfaleceu.

O serviço de saúde foi acionado. Em breve a ambulância a conduzia ao pronto atendimento.

Cristóvão permanecia a seu lado, extremamente preocupado.

Dolores infartara. Levada ao hospital, tomaram-se as devidas providências, medicação intensa para debelar a crise.

Cristina e Cristiam vieram imediatamente.

Exames revelaram que estava com uma artéria cardíaca obstruída. A diabetes complicava o quadro.

Era preciso procurar centro médico especializado.

De pronto, avião-ambulância a conduziu para São Paulo, juntamente com Cristina, Cristóvão e Cristiam.

No hospital foi examinada pelo doutor Roberto, que logo após apresentou-se à família.

Ele mal disfarçou a forte emoção que o assaltou diante de Cristina, aquela jovem elegante e bela que parecia ter saltado do passado distante, alguém que esperara a existência inteira.

Controlando-se, explicou a situação de Dolores.

Efetivamente, estava com uma artéria obstruída e dado seu porte não havia possibilidade de tentar uma angioplastia. Era preciso operar, cirurgia delicada, em face da diabetes, mas indispensável.

Cristóvão foi logo indagando:

— Quem fará a operação?

— Há várias equipes. A minha é uma delas. A escolha será sua.

O médico que tinha diante de si pareceu jovem demais para Cristóvão, porém simpatizou com ele. Passava confiança e competência.

— Tudo bem, doutor, confio-lhe minha esposa. Ela é importante para mim. Por favor, cuide dela com carinho.

— Fique tranquilo senhor Cristóvão.

Procurando vencer a timidez que a assaltara diante daquele médico que via pela primeira vez, mas que parecia ser personagem de seus sonhos, Cristina adiantou:

— Confiamos no senhor, doutor.

Ah! Aquela voz! Era música em seus ouvidos! Respondeu, enlevado.

– Faremos o melhor, senhorita.

Conduzidos a uma sala de espera, pais e filhos ouviram atenciosa enfermeira:

– O doutor Roberto é hoje o merecido sucessor de Oton Giraldi, o melhor cirurgião que já passou por este hospital. Tem a mesma competência. Dona Dolores está em boas mãos.

□□□□□

Como sempre, nos preparativos para a cirurgia, Roberto orou com fervor, pedindo a proteção dos médicos espirituais que o assistiam. Sentiu, como sempre, a presença de seu mestre e amigo Oton.

A cirurgia transcorreu normalmente, embora cercada de cuidados, em face da condição da paciente. Foram colocadas não apenas uma, mas três pontes de safena, atendendo a outros vasos parcialmente comprometidos.

Roberto trabalhava com a facilidade de quem fizera centenas de procedimentos idênticos, vivenciando emoções que há muito não experimentava.

Aquela família não lhe parecia estranha. A jovem era exatamente o que poderia definir como a mulher de sua vida. Não sabia nada a seu respeito, mas tinha uma certeza: fora por ela que esperara durante toda a existência.

Richard Simonetti

Encerrada a cirurgia, Dolores foi levada para a sala de recuperação, enquanto Roberto procurava os Delácio.

— Colocamos três pontes de safena. Ela está reagindo bem, embora sob cuidados intensos, tendo em vista o problema da diabetes.

Enquanto falava, fixava Cristina, que, timidamente, afastava o olhar, coração agitado, experimentando inexplicável euforia.

ロロロロロ

Três dias depois Dolores já estava no apartamento, sob os cuidados de Cristina.

Cristóvão chegou logo pela manhã e ficou com a esposa, enquanto a jovem ia até a lanchonete.

Logo ao sair, seu coração acelerou.

Roberto aproximava-se para a visita à paciente.

Ele próprio, mal contendo a emoção, abriu largo sorriso.

— Bom dia, Cristina!

— Bom dia, doutor.

— Então, como está nossa paciente?

— Muito bem, dormiu praticamente a noite toda.

— Isso é ótimo.

Corações sintonizados de pronto, após longa separação, ambos sentiam incontida atração e buscavam, tomados pela emoção, um assunto, um tema, algo que prolongasse aquele contato feliz.

— Já vai embora?

— Não, estou indo à lanchonete.

— Posso acompanhá-la? Também estou precisando de um cafezinho.

Na lanchonete logo superaram a inibição inicial e conversaram como velhos amigos.

— Por incrível pareça, doutor...

— Doutor, não! Roberto.

— Por incrível pareça, Roberto, adoro hospital. Sinto-me em casa.

— Pois é a mesma sensação que tenho. Desde menino, quando meu pai deu-me de presente um brinquedo com apetrechos médicos, encantei-me com a profissão. Minha vida tem girado em torno dela.

— E a família?

— Sou filho único. Meu pai faleceu há vários anos, mas com a graça de Deus pude concluir meus estudos, e hoje estou quase realizado.

— Quase?

— Falta apenas encontrar uma companheira, uma esposa que complete minha alegria.

— Até hoje não encontrou?

— Acredito que tudo tem hora certa. Sou espírita, sabe? Aprendi com o Espiritismo que os casamentos são planejados antes de nossa reencarnação.

— Reencarnação? Você acredita que já vivemos antes?

— Sem dúvida, e podemos constatar isso facilmente, analisando nossas aptidões e tendências. Minha vocação para a Medicina não é mero dom, mas algo que terei cultivado no passado e que agora aflora.

— Não deixe meus pais saberem que é espírita. Julgarão estar nas mãos de representante do demo.

— São evangélicos?

— Sim.

— Infelizmente a ignorância gera esse tipo de preconceito. Mas se eu trabalhar bem, se dona Dolores, como tudo leva a crer, recuperar-se plenamente, você não acha que isso vai balançar suas convicções? Ou pelo menos ela vai achar que o demônio está mudando de lado, ajudando as pessoas...

— Faz sentido. Na verdade não partilho dessas tolices, mas tenho dificuldade para entender a questão da reencarnação. Não consigo imaginar-me alguém que viveu antes.

— Você não é outra pessoa que viveu antes, mas a mesma pessoa que viveu várias experiências na carne. Imagine um ator. Ele desempenha múltiplos papéis, é o velho, o moço, o doente, a mulher, o homem, o rico, o pobre, sempre caracterizado pelas vestes e a aparência, mas intimamente é ele mesmo quem está ali, uma individualidade com várias personalidades.

— Faz sentido, mas... e o esquecimento?

– Há várias razões para esquecermos, mas neste momento não posso esquecer que tenho visitas aos pacientes. Conversaremos a respeito noutra hora.

Roberto bem gostaria, no que era correspondido, de prolongar aquela conversa por horas, prendendo junto a si aquela jovem que tanto o impressionara, mas o dever o chamava.

ＯＯＯＯＯ

Cristina retornou ao apartamento sentindo-se nas nuvens. A presença de Roberto trazia-lhe emoções desconhecidas. Embora não estivesse familiarizada com a reencarnação, não podia negar que sentia nele velho conhecido, alguém muito importante em sua vida.

Aquele contato, bem como a estada no hospital, fizeram vir à tona seus sonhos juvenis relacionados com a Medicina.

No entanto, a Vida a levara a tomar outro caminho, onde não havia espaço para cogitações sentimentais ou ideais acalentados.

Tinha três filhos para cuidar e um marido que precisava de atenção.

Desconhecia que não fora a Vida que a levara por outro caminho, mas ela própria. Seu descuido transformara a existência sua e de Roberto em duro teste de renúncia.

Capítulo 20

*À*s vésperas de Dolores deixar o hospital aconteceu o que os médicos mais temem: contraiu uma infecção.

Foi submetida a altas doses de antibióticos de última geração, na contradição que costuma marcar o estágio de muitos pacientes no hospital – aprisionados onde entraram para libertar-se de um mal, em face de mal outro ali contraído.

Roberto visitava a paciente mais vezes do que sua dedicação exigia, em face da simpatia por aquela família até então desconhecida que parecia conhecer de longa data, sobretudo Cristina, que saltara de seus melhores sonhos, num encontro marcado pelo destino.

Conversavam bastante, sentindo ambos o aprofundamento daqueles laços iniciais. Cristina não saberia explicar o porquê, mas Roberto não tinha dúvida. Eram almas ligadas milenarmente que se reencontravam.

Todavia, ele logo passara da euforia ao desalento, após diálogo que não esqueceria.

– Fale-me de você, Roberto...

– Minha biografia não é expressiva nem há grandes lances de emoção. Sou filho único, família de classe média. Meu pai era bancário, homem correto, dedicado à família e à profissão. Faleceu na minha adolescência. Minha mãe, Angelina, tem sido meu anjo protetor.

– Como se decidiu pela Medicina?

– Só o Espiritismo explica. Desde a mais tenra infância, sempre falava nisso. Lembro que em minhas orações, nos verdes anos, pedia a Deus que me ajudasse a cuidar das pessoas. E com a ajuda de Deus e de minha mãe, aqui estou, tratando da saúde humana. E você?

Cristina suspirou, tristeza a ensombrecer seus olhos luminosos.

– Tanto quanto você, desde cedo alimentei o desejo de ser médica, o que poderia conseguir sem maiores dificuldades, já que não dependeria de vestibular para faculdade do Estado. Meu pai está bem, financeiramente. É próspero fazendeiro. Infelizmente não deu certo.

– Algum problema?

– Seria pecado dizer que um filho, bênção em minha vida, seria problema. Mas foi exatamente isso que aconteceu. Antes mesmo de concluir o curso científico, que me habilitaria a ingressar na faculdade de Medicina, fiquei grávida. Casei-me e interrompi os estudos para cuidar da família. Em breve nasceram mais dois filhos, gêmeos. Com um lar a cuidar, três filhos, perdi o embalo para o estudo.

Roberto ouvia estarrecido.

O sonho de sua vida transformava-se no pesadelo de um amor que não poderia realizar-se.

O encontro entre ambos acontecera tarde demais.

Na verdade dera-se na época prevista.

O problema era que Cristina entrara por via alternativa, desvio de rota que os manteria afastados.

Roberto esboçou sorriso.

– Parabéns! Tão jovem, ainda, e já com família constituída. Você está certa em privilegiar a família, nem poderia ser de outra forma. Acima do ideal é preciso atender ao dever.

– Também penso assim, Roberto, mas não me sinto realizada. Gosto de Rino, meu marido, adoro meus filhos, mas perdura um sentimento de insatisfação, de intranquilidade, como se eu tivesse seguido caminho diferente do que Deus planejou para mim.

Roberto lutava por conter a decepção, mas raciocinava como espírita consciente,

– Há o velho ditado: *O homem propõe, Deus dispõe.* Creio, entretanto, que o contrário pode acontecer. A proposta de Deus surge nos sentimentos recônditos inspirando-nos a seguir por determinados caminhos. Aí entra o livre-arbítrio. E acabamos fazendo diferente.

– Você fala com uma familiaridade de assunto que para mim é totalmente estranho e, sob o ponto de vista de meus pais, proibido. Tenho aprendido que nosso destino é determinado por Deus, acima de nossos desejos.

– Não quero confundi-la, Cristina. Se está satisfeita com sua fé, não há por que questionar. O Espiritismo nos convida a ir um pouco adiante nessas questões, falando de uma anterioridade da existência humana. Já vivemos antes, milenarmente, e muito do que nos acontece hoje está diretamente relacionado com o que fomos e fizemos ontem. Acontece também no relacionamento com as pessoas. Às vezes conhecemos alguém e sentimos que já o conhecemos de longa data. Nutrimos de imediato sentimentos bons ou maus, atração ou antipatia, inexplicáveis se não considerarmos um pretérito em comum. Você, por exemplo, desde o primeiro momento em que a vi, senti que a conheço...

Cristina sorriu, tentando abafar as emoções que a tomavam diante do médico.

– Espero não ter despertado antipatia...

– Pelo contrário.

– Sua abordagem sugere um tema. Imagine

dois Espíritos que vieram para se unirem e, de repente, um segue caminho diferente, casa-se antes de se encontrarem.

— Pode acontecer, porquanto, como lhe disse, nem sempre o que fazemos na Terra é o que planejamos no Além.

— Complicado...

Capítulo 21

Cristóvão, e Dolores estavam impressiona-dos com a dedicação e a competência de Roberto.

– Meu caro doutor, – falou eufórico o fazendei-ro – não sei como lhe agradecer. Você restaurou minha fé na Medicina. Tive experiências desagradáveis com médicos que sempre me pareceram mais interessados em ganhar dinheiro, esquecendo o essencial – o bem estar dos pacientes!

Dolores completou:

– Não sou apenas grata, Roberto. Se me permi-te, vejo-o como dedicado filho que cuidou de mim. Não quero que percamos contato. Espero que nos visi-te na fazenda. Poderá descansar entre nós, afastando-se dessa correria que bem pudemos observar.

Roberto sentia-se feliz por contar com a amiza-de do casal. Nutria especial carinho pela família, mas, prudente, achou melhor declinar do convite.

– Fico agradecido a ambos pela amizade e de-ferência. No momento é impossível deixar São Paulo. Talvez mais tarde…

– Não dá para arranjar pequeno espaço na sua agenda para nos dar a satisfação de sua presença?

Richard Simonetti

143

— Bem, Dolores, vamos ver... Tentarei uma folga. Será um prazer visitá-los.

◻◻◻◻◻

Na lanchonete Roberto despediu-se de Cris-tina.

— Embora em circunstâncias envolvendo doença em família, fiquei feliz em conhecê-la e por estes dias de convivência. Guardarei gratificantes lembranças.

— Sim, mas espero que não fique só nas lem-branças. Costumo ir à fazenda em fins de semana. Espero vê-lo por lá, embora tenha explicado à mamãe que será difícil.

— Teria prazer Cristina, mas, realmente, é uma questão de tempo.

— Como diz o velho ditado, tempo é uma questão de preferência. Sempre achamos tempo para fazer o que desejamos, não é verdade, doutor?

— Você tem razão, mas há compromissos que se sobrepõem ao tempo e às nossas preferências.

— Se o problema é com alguma namorada, leve-a junto...

— Não tenho namorada, Cristina, e vou despe-dir-me de você agora. Estou entrando em cirurgia. Creio que não nos veremos quando terminar.

Roberto inclinou-se para beijá-la. Em incon-tido impulso, abraçou-a.

A emoção de tê-la junto ao peito foi tão grande que precisou lutar para não buscar-lhe os lábios.

– Adeus, Cristina...

Cristina não conseguia conter a emoção, nem indiscretas lágrimas a revelarem seus sentimentos...

– Não gosto de despedidas, Roberto. É uma palavra triste. Digamos até breve.

ロロロロロ

Angelina percebeu que Roberto, sempre animado, risonho, andava silencioso, meditativo...

– O que está acontecendo, filho? Noto você tristonho...

Roberto tentou descontrair...

– Não é nada, dona Angelina, são seus olhos de mãe tendo miragens.

– Conheço bem meu filho e sei quando algo não vai bem. Não confia mais em sua mãe?

– Está bem, mamãe, a senhora está certa. Tenho problema sério – encontrei a mulher de minha vida. Seu nome é Cristina.

– Problema ou solução para a solidão afetiva? Não a esperava há tanto tempo?

– É casada, tem três filhos e vive bem com o marido.

– Ora, filho, o coração pode enganar-se. Certamente não é a mulher de sua vida, ou não estaria comprometida com outro, família formada...

Richard Simonetti

— Aí está o problema, mamãe. Tenho certeza de que ela nutre por mim o mesmo sentimento.

— Não seria algo que veio para confundir a ambos? Você sabe que sempre há Espíritos interes-sados em nos perturbar, aproveitando nossas carências e anseios. A paixão é perturbadora.

— Não se trata de simples impulso passional, mamãe, mas de uma afinidade, uma ligação que vem de longe.

— Se houvesse uma programação nesse sentido, não a encontraria casada, com três filhos.

— A senhora sabe que nem tudo é *maktub*. Creio que está escrito que vamos morrer um dia, mas sem data prefixada. Depende de como vivemos, o mesmo acontecendo com os eventos de nossa existência. Por isso, fico imaginando se não teria ocorrido desvio da parte de Cristina...

— Ou problema cármico. Encontrarem-se nu--ma situação dessa natureza.

— Pode ser. De qualquer forma, entendo que mesmo quando há planejamento espiritual, podem ocorrer desvios. Se isso acontece é preciso cuidado para não ampliar o problema, complicando o futuro. Pretendo evitar contatos. Será melhor para ambos.

Capítulo 22

$\mathcal{D}$esde aqueles dias de convivência com Roberto, algo mudara em Cristina.

Não conseguia esquecer a impressão que o médico lhe causara, nem a emoção que a tomara ao se abraçarem.

Não guardava dores de consciência, porque nada fizera de comprometedor, mas não conseguia fixar-se nos afazeres diários, alheada, sonhadora...

Rino estranhou.

– O que está acontecendo, Cristina. Vejo-a pensativa, distante...

– Não sei, Rino. Desde aquele estágio no hospital, acompanhando mamãe, sinto reacenderem os ideais relacionados com a Medicina. É algo muito forte, como se houvesse traído um ideal, afastando-me de meu destino.

– Como evangélica você sabe que os desígnios divinos são sábios e justos. Certamente Deus pretende que você continue cumprindo o destino de mãe extremosa e esposa exemplar.

– Talvez possa recomeçar os estudos mais à frente...

– Depois dos trinta anos? Serão praticamente dez anos de preparo pela frente, passando o dia longe de casa, da família. Você acha que vale o sacrifício?

– Sei que a minha família é a coisa mais importante de minha vida, mas também julgo importante minha realização profissional. Quanto à idade, Albert Schweitzer, que foi grande missionário, começou seus estudos de Medicina com minha idade.

– Porém não tinha filhos...

Cristina sentiu que, machista incorrigível, jamais o marido concordaria em ver sua mulher dedicando-se a estudos e afastando-se de sua área de influência.

口口口口口

A intenção de Roberto em permanecer distante seria contrariada pelos acontecimentos.

Cristóvão e Dolores despertaram na madrugada com os gritos desesperados de Cristiam.

Foram encontrá-lo a debater-se no leito, dominado por um pesadelo.

Dolores sacudiu vigorosamente o rapaz, que acordou, olhos arregalados...

– O que houve, filho...

– Foi o Cristiano, mãe, ele me agarrou aflito, pedindo socorro. Foi horrível!

– Bobagem, filho. Os mortos dormem até o juízo final.

– Não, mamãe, tenho certeza de que era ele! Sinto sua presença mesmo durante o dia, atormentado e infeliz.

– Amanhã conversaremos com o pastor. Ele nos esclarecerá.

Dolores deixou-se ficar junto ao filho pelo resto da noite, a orar, velando seu sono.

◻◻◻◻◻

Consultado, Nemésio logo apresentou sua versão predileta:

– É coisa do demônio, sempre pronto a nos confundir, principalmente durante as horas de sono, quando somos mais vulneráveis à sua influência.

Cristiam não concordou.

– Era meu irmão, implorando ajuda. Não sei como explicar, mas mesmo quando acordado sinto sua presença.

– Ora, meu filho, isso é bobagem. Os mortos dormem.

Dolores assustou-se com as observações de Nemésio.

– Se há a presença do demônio, a situação é grave!

– Não se preocupe, Dolores. Deus é mais poderoso. Vamos resolver isso com a graça do Senhor. Temos recursos para expulsar o tinhoso.

No dia seguinte, com a participação de membros da igreja, em reunião íntima, Nemésio leu textos bíblicos e pronunciou rezas, evocando o ser que perturbava o rapaz.

Cristiam sentiu-se envolvido por estranhas sensações. Perdeu a consciência, enquanto o próprio irmão manifestava-se por seu intermédio, atormentado, aflito, a suplicar por socorro.

Nemésio não fez por menos.

Segurando com força a cabeça de Cristiam, ordenava enfático:

— Espírito do mal, afaste-se!

— Por misericórdia, ajude-me. Estou atormentado. Sou Cristiano, preciso de ajuda.

— Afaste-se, Espírito das trevas, em nome de Jesus!

— Papai, mamãe, por misericórdia, ajudem-me!

Toda a família assistia, perplexa, o diálogo, enquanto Nemésio insistia:

— Afaste-se, em nome de Jesus!

Após alguns minutos de repetitivo diálogo, Cristiam acordou, atordoado:

— O que houve?

— Tudo bem, meu filho – tranquilizou Nemésio.

– Afastamos, em nome de Jesus, as influências que o atormentavam.

– Não entendo, – comentou Dolores perplexa – parecia Cristiano.

– O demônio é um artista, minha filha. Faz isso para nos envolver. Sigam tranquilos. Ele foi expulso pelo poder de Deus.

A convicção de Nemésio não se confirmou.

Cristiam continuou com os pesadelos, em encontros noturnos com o irmão atormentado.

ロロロロロ

Consultaram um psicólogo. Ele atribuiu o problema a desajustes emocionais do rapaz, que o levavam a fantasiar a presença do irmão. Era preciso submeter-se a tratamento, em consultas semanais.

Assim foi feito.

Não obstante, o problema agravou-se.

Procuraram um psiquiatra. Receitou tranquilizantes e soníferos, cujo efeito foi apenas tolher a iniciativa do rapaz, enquanto perduravam os pesadelos.

Após infrutíferos esforços, durante seis meses, mobilizados os recursos da igreja e da Medicina, Cristina conversou com a mãe.

– Mamãe, acho esquisita a situação de Cristiam,

com esses pesadelos que não cessam e a impressão de ter Cristiano ao seu lado. E se conversássemos com Roberto?

— Ora essa, minha querida, ele é cardiologista, não psiquiatra.

— É espírita...

Dolores espantou-se:

— Espírita? Fui operada por representante do demo?

— A senhora sabe que Roberto é excelente pessoa. Foi salva por ele. Pare de julgar as pessoas por suas crenças.

— Tem razão, filha. É um hábito. Desde pequena ouço os pregadores falarem que o Espiritismo é obra do demônio.

Cristina sorriu.

— Se pensa assim, reconheça que foi beneficiada pelo demo. Não era o mesmo que diziam de Jesus? Ele não afirmava que, se o ajudava em suas curas, o demônio estava mudando de lado?

— Está bem, filha, você ganhou. Mas diga-me, o que tem o doutor Roberto com o problema de Cristiam?

— Como espírita talvez possa ajudar a definir melhor o que está acontecendo.

— Faremos uma consulta para perguntar sobre isso? Vai rir de nós.

– Não, mamãe, vamos convidá-lo a passar um fim de semana conosco.

– Seu pai ficará feliz em recebê-lo. Mas há um problema. Já o convidamos várias vezes e ele sempre alega compromissos inadiáveis.

– Sim, mas se a senhora disser-lhe que é assunto sério, certamente virá.

❑❑❑❑❑

Cristóvão ficou feliz com a ideia de convidar Roberto, embora não lhe dissessem a verdadeira razão.

Aferrado aos princípios de sua religião, não concordaria em receber alguém para falar de Espiritismo. Nem mesmo lhe informaram que Roberto era espírita.

Dolores ligou para o consultório. Falou com a secretária.

Em breves momentos ouviu a voz do dedicado amigo.

– Bom dia, Roberto.

– Bom dia, Dolores. Não tem aparecido. Bom sinal...

– Estou muito bem. O médico que me operou é ótimo.

– Agradeçamos a Deus.

– E a você também, que foi instrumento do Senhor para curar-me. Estou telefonando para convidá-lo a passar o fim de semana conosco.

– Está difícil, Dolores.

– Difícil, não impossível. Confesso que não se trata de simples passeio. Precisamos de sua ajuda.

– Algum problema?

– Sim, de certo modo. Falaremos pessoalmente. Por favor, podemos esperá-lo?

Roberto estava decidido a manter distância. Seria prudente evitar contato com Cristina na atual conjuntura, mas o sentimento humanitário falou mais alto.

– Está bem. Irei no sábado à tarde. Posso levar minha mãe?

– Claro! Teremos grande prazer!

¤¤¤¤¤

Assim que retornou ao lar, à noite, Roberto informou Angelina.

– Um probleminha, mamãe. Dolores, a mãe de Cristina, pediu-me para ir à fazenda, neste fim de semana.

– Você aceitou?

– Não tive como recusar. Informou que o assunto é sério e encareceu minha ajuda.

– Não lhe falou o que era? Alguém doente?

– Não quis adiantar nada, mas parece-me que não envolve doença ou iria ao consultório. Percebi que está preocupada.

– Acha prudente?

– Não sei o que dizer, mas levarei anjo protetor, a fim de evitar problemas.

– Anjo protetor?

– Sim, a senhora.

– Ah! meu filho! Quem me dera! De qualquer modo, não como anjo, mas como mãe zelosa, estarei com você. Será bom sair um pouco. O ar do campo nos fará bem.

Capítulo 23

*N*o sábado, conforme o combinado, Roberto e Angelina, após breve viagem de automóvel, de São Paulo ao município de Ibiúna, entravam na fazenda de Cristóvão.

Aproximando-se da sede, mãe e filho impressionaram-se com beleza da construção, de estilo colonial, destacando-se em meio a amplo e belo jardim, tudo muito bem cuidado.

Dolores recebeu mãe e filho sorridente e feliz. Abraçou Angelina.

– Parabéns! Roberto é o filho que toda mãe gostaria de ter.

Angelina sorriu.

– Tem razão. É o meu tesouro mais precioso!

Roberto interrompeu:

– Começamos bem, rasgando seda! Bela massagem em meu ego.

Após instalarem-se nos apartamentos de hóspedes, foram convocados ao lanche.

Dolores aproveitou que estavam a sós para falar sobre Cristiam.

– O assunto de que vou lhes falar é melindroso. Perdoem pedir-lhes discrição. Estamos enfrentando um problema com meu filho Cristiam.

– Pelo visto não é doença.

– Doença física não. Consultamos um psicólogo e um psiquiatra. Dizem que é problema de cabeça.

– Não resolveram?

– Nenhum resultado.

– O que está acontecendo?

– Ele afirma sonhar com Cristiano, nosso filho que morreu num acidente. Chega a vê-lo em seu quarto, pedindo socorro.

– O que dizem os profissionais de saúde?

– Diagnosticam como transtorno obsessivo que o leva a fantasiar essa situação.

Roberto olhou significativamente para Angelina. Perceberam logo o que estava acontecendo.

Com cuidado, Roberto, perguntou:

– Consultaram sua igreja?

– Sim e ficamos assustados, porquanto o pastor Nemésio disse tratar-se de uma influência demoníaca. Realizou trabalho de exorcismo, em que o próprio demo se manifestou por intermédio de Cristiam. O que nos impressionou foi que nos parecia Cristiano a pedir socorro.

– E o pastor?

– Tem exorcizado o demônio com suas rezas, mas o problema persiste. Ele diz que é assim mesmo e que devemos insistir.

Roberto sorriu.

– Onde entramos no caso? Certamente não é problema para ser resolvido com uma cirurgia cardíaca.

– Cristina disse-me que ambos são espíritas...

Mãe e filho logo perceberam a razão de sua presença ali.

Angelina adiantou-se.

– Quer saber nossa opinião como espíritas?

– Exatamente.

– Bem, Dolores, é uma situação delicada, considerando o fato de que são evangélicos.

– Realmente, mesmo porque o Espiritismo estabelece contato com os mortos, algo impensável para nós...

A conversa foi interrompida por Cristóvão e Cristina que entraram na sala.

– Então, doutor Roberto, – falou feliz o dono da casa – finalmente nos deu o prazer de sua visita...

– Pois é, senhor Cristóvão, sempre chega o dia de cumprirmos nossas promessas. Sua fazenda é maravilhosa.

Roberto falava mecanicamente, quase sem fôlego, procurando conter a emoção, ante a presença de Cristina, que, igualmente perturbada, o cumprimentou sorridente.

– Olá, Roberto. É uma felicidade tê-lo entre nós.

– O sentimento é recíproco, Cristina.

Abraçou-a, sensibilizado, ambos procurando conter a euforia que os tomara.

Dolores apresentou os recém-chegados a Angelina e a conversa tomou rumo diferente. Pouco depois mãe e filho foram conduzidos ao quarto de hóspedes.

ㅁㅁㅁㅁㅁ

Após o jantar, Cristina convidou Roberto a visitar Cristiam, que permanecia recolhido em seu quarto, enquanto Dolores, Angelina e Cristóvão conversavam na sala de estar.

Cristiam estava deitado.

Roberto percebeu seu abatimento, magro, mal cuidado, cabelos em desalinho.

– Então, Cristiam, tudo bem com você?

O rapaz esboçou sorriso triste.

– Mais ou menos, doutor.

– Soube que tem sonhado com seu irmão…

– Não só sonho como o vejo por aqui, a pedir socorro.

– Conversa com ele?

– Não. Tenho medo. Acordo apavorado, sentindo sua presença. O pastor diz que é o demônio, que devemos orar muito para afastá-lo.

– Vamos confiar em Deus.

ロロロロロ

Deixando o quarto, Cristina perguntou:

– O que acha, Roberto?

– Primeiro diga sua opinião.

– Como sabe, somos evangélicos. Respeito o pastor Nemésio, mas não consigo aceitar que o demônio esteja se fazendo passar por Cristiano para nos perturbar. Não consigo atinar com o que seja, mas você, como espírita, tem uma explicação, não é mesmo?

– Sim, Cristina. Aprendemos que os mortos comunicam-se com os vivos. Isso nos permite compreender fenômenos iguais aos experimentados por Cristiam.

– Acredita possa ser o próprio Cristiano tentando comunicar-se?

– Tenho certeza. Pelo que sei, Cristiano faleceu em acidente de trânsito, após exceder-se na bebida. É o que chamamos de suicida inconsciente. Não tomou consciência de que com seus desregramentos poderia provocar a própria morte, como aconteceu. Espíritos assim, sem preparo para a vida espiritual, permanecem inconscientes e aflitos por bom tempo. Não raro vêm até nós, a implorar socorro.

— Essa ideia contraria minha crença. Aprendi que os Espíritos dormem até o juízo final. Não podem comunicar-se com os homens.

— Estão errados. Há milhares de Centros Espíritas espalhados em nosso país, atendendo a Espíritos nessas condições, em reuniões mediúnicas.

— Essas manifestações são indispensáveis?

— Se assim fosse estaríamos com grande problema, porquanto não haveria reuniões suficientes para tanto.

— E o que acontece com aqueles que não se manifestam?

— São atendidos pelos mentores espirituais. Só que é trabalho mais demorado e difícil, porquanto na reunião mediúnica o Espírito, que geralmente age como sonâmbulo, inconsciente de sua situação, recebe carga energética em contato com o ambiente físico, e tem um despertar, o que favorece o auxílio.

— Bem, Roberto, tudo isso é estranho para mim, embora deva admitir que milhões de pessoas que desenvolvem esse tipo de atividade não podem estar equivocadas.

— E os filhos?

— Estão bem, graças a Deus. Ficaram em casa com Rino.

— Ainda sonha com a Medicina?

— Sempre, mas estou velha para reiniciar estudos. Não me sinto com coragem, nem contaria com o apoio de meu marido.

— Vai deixar para a próxima encarnação?

Cristina sorriu.

— Seria uma boa saída. Gostei da ideia. Talvez possa, nesse futuro remoto, contar com sua ajuda.

— Ficarei feliz.

ロロロロロ

A intenção de Roberto era levar o nome de Cristiam para uma reunião mediúnica, da qual participava, mas os acontecimentos se precipitaram.

Logo após o jantar, conversavam na sala de visitas quando ouviram um grito de Cristiam em seu quarto.

Acorreram todos, Cristóvão, Dolores, Angelina, Roberto e Cristina.

O rapaz estava extremamente agitado, a gemer angustiado.

Roberto sentou-se ao seu lado na cama, procurando contê-lo.

— Papai, mamãe, pelo amor de Deus, ajudem-me! Houve um acidente, machuquei-me...

Richard Simonetti

Roberto iniciou o diálogo:

– Calma, Cristiano, calma... Está tudo bem. Você já foi socorrido. Agora está no hospital.

– Estou muito machucado?

– Não, e o pior já passou, Fique tranquilo. Lembra-se de que na igreja recomendavam a oração?

– Sim.

– É o que deve fazer. Essa agitação toda é decorrente do trauma. Com a oração você ficará calmo.

– Não sei se consigo.

– Consegue sim, converse com Jesus, diga-lhe de seus temores, de suas dúvidas. Peça-lhe que o proteja.

– Ampara-me, Senhor Jesus! Ajuda-me a superar meus temores, minha dor, minha angústia... Pai nosso, que estás nos Céus...

Cristóvão e familiares acompanhavam espantados a cena, o filho vivo orando como se fosse o filho morto!

Cristiam foi se acalmando, a respiração se regularizou, a agitação terminou.

Roberto continuou:

– Cristiano, agora você vai dormir. Quando acordar haverá médicos para atendê-lo. Confie. Está em boas mãos...

Em breves momentos, Cristiam abriu os olhos.

– O que houve?

Roberto o tranquilizou.

– Apenas um mal-estar. Como se sente?

– Estou bem, como não acontecia há muito tempo. Estou até com fome...

☐☐☐☐☐

Dolores ficou cuidando do filho, enquanto os demais retornavam à sala de estar.

– Meu caro Roberto – dizia Cristóvão, admirado, – sei que você é excelente cirurgião cardíaco. Não sabia que também cuidava das almas...

– Não foi nada, meu amigo. Como espírita acostumei-me a esse tipo de trabalho. Não obstante, não quero confundi-lo em relação às suas crenças.

– Tem razão. Estou confundido, até perturbado. Não sei como explicar o que aconteceu.

– Não se preocupe. O importante é que tudo correu bem.

☐☐☐☐☐

Cristina retornou a Sorocaba pouco depois.

Conversando ainda uma vez, Roberto advertiu:

– Está tudo bem com Cristiam, mas há um detalhe, Cristina. Ele é médium, tem grande sensibilidade que lhe possibilita o contato com os Espíritos. Se não disciplinar essa faculdade com o conhecimento espírita, voltará a ter problemas.

– Cristiano novamente?

– Não o irmão, que, acredito, está bem encaminhado, mas outros Espíritos. Na *Epístola aos Hebreus,* Paulo adverte que somos rodeados por uma nuvem de testemunhas. A população de Espíritos desencarnados vinculados ao plano físico é grande.

– Vejo que você é doutor também em textos bíblicos.

– Há muito que aprender com a *Bíblia,* Cristina, principalmente no *Novo Testamento.* Jesus conversava com os Espíritos perturbadores e os afastava de suas vítimas. Gente com sensibilidade sofre mais intensamente essa influência.

Ela tinha dificuldade para entender, em face dos condicionamentos religiosos, mas via em Roberto um homem culto e inteligente, que sabia do que falava.

Gostaria de ouvi-lo por muitas horas, não apenas a respeito do Espiritismo, mas também de sua vida, de seus ideais…

Roberto sentia o mesmo. Perfeitamente consciente de que Cristina era a mulher de sua vida, conversaria com ela a existência inteira.

No entanto, fugazes eram aqueles momentos de contato.

– Até breve, Roberto – falou Cristina, beijando-o na face.

– Até breve, Cristina, vá com Deus – repetiu Roberto, correspondendo ao seu gesto, coração disparado.

ロロロロロ

No dia seguinte, no automóvel, de retorno a São Paulo, Angelina perguntou:

– Então, filho, como está o coração?

– Tranquilo, mamãe, embora, mais do que nunca sinta que Cristina é a mulher de minha vida. Entendo que ela seguiu outro caminho, tem a sua família. Seguirei o meu. Como a senhora sabe, a Medicina é o meu mundo.

– E eu – brincou Angelina – não faço parte?

– A senhora é o Sol que o ilumina.

Ela sorriu, feliz:

– Aceito a mentirinha piedosa.

Capítulo 24

*R*ino incomodava-se com progressiva queda de cabelos.

Por indicação de colegas de escola, marcou consulta com a doutora Sandra Crispim, aquela mesma colega de Roberto que lhe havia causado problemas.

Após a formatura ela se especializara em dermatologia, sem deixar a especialidade maior: a promiscuidade dos relacionamentos amorosos.

Tivera três casamentos conturbados, logo desfeitos, em face de sua vocação para a infidelidade.

Vicente, filho único, nascido de seu terceiro casamento, era seu grande amor. Devotava-lhe imenso carinho.

Não obstante, não superara a vocação para relacionamentos afetivos inconsequentes.

Seu encontro com Rino foi típico da *fome com a vontade de comer.*

Em breve tornaram-se amantes, num envolvimento passional tão forte que Sandra passou a insinuar que poderiam morar juntos. Que ele abandonasse a família e fossem felizes.

Richard Simonetti

Empreitada difícil.

Rino tinha vocação para o adultério, mas era apegado à família. Amava Cristina e os filhos e não conseguia encarar a possibilidade de desfazer seu lar, embora a forte atração que sentia pela amante, sempre bela, sensual, insinuante...

Percebendo sua hesitação, Sandra decidiu precipitar os acontecimentos.

Cristina recebeu bilhete simples, termos incisivos:

Seu marido está apaixonado por outra mulher. Deseja separar-se de você, mas não tem coragem.

Foi um choque terrível para Cristina. Embora sentisse Rino reservado e silencioso ultimamente, jamais poderia imaginar fosse essa a razão.

Buscando controlar-se, esperou que os filhos se recolhessem à noite, e mostrou a carta ao marido.

Rino não conseguiu disfarçar a culpa.

Chorando, arrojou-se a seus pés:

– Pelo amor de Deus, Cristina, ajude-me. Não posso negar que me envolvi com outra mulher. Temos uma ligação há alguns meses, e agora ela pretende que moremos juntos... Não sei o que fazer...

Cristina lutava por conter a raiva.

– E você vem perguntar-me o que fazer? Acha que podemos continuar juntos depois dessa confissão?

– Entenda, Cristina. Não quero desfazer nossa família, amo você e nossos filhos!

Cristina não se conformava.

– Rino, você sabe que não tenho vocação para mártir. É uma situação insustentável. Quero a separação!

– Não, não, Cristina! Por favor, não faça isso comigo! Ajude-me!

– Creio que a melhor ajuda que possa lhe dar é oferecer-lhe a liberdade para que refaça sua vida ao lado de quem ama.

Por mais Rino insistisse, Cristina foi irredutível.

Naquela noite ele dormiu no quarto de hóspedes.

❏❏❏❏❏

Cristina procurou Dolores.

Em lágrimas, mostrou-lhe a carta anônima.

– Ora, minha filha, é apenas uma fofoca, gente que não tem o que fazer.

– Não, mamãe, Rino confirmou. Não sei como agir. A senhora sempre me ensinou, e isso tenho ouvido na igreja desde menina, que casamento é para a vida inteira. Entretanto, Jesus admitia o divórcio em casos de adultério...

— Sim, minha filha, e também ensinou que devemos perdoar não sete vezes, mas setenta vezes sete... Rino quer se separar?

— Não, mamãe, implorou-me que o perdoasse.

— Então, querida, perdoe. Pense nos filhos. Não podem crescer sem pai.

ロロロロロ

Cristina até que tentou, mas ficou difícil.

Rino não conseguia desligar-se de Sandra, que o pressionava sem tréguas.

Vivia o lamentável conflito das pessoas imaturas que se deixam envolver por processos passionais, em que a sensualidade sobrepõe-se aos sentimentos mais nobres e o instinto domina a razão.

Lares incontáveis se desfazem a partir de situações dessa natureza, gerando sofrimentos para os envolvidos.

Cristina dispôs-se a uma mudança de cidade, mas ele alegava ser impossível, em face de seus compromissos profissionais.

Capítulo 25

*N*a *Abrigo das Almas,* Fernando, preocupado, conversava com Augusto.

— Rino envolveu-se em adultério. Está em conflito com Cristina, ambiente péssimo.

— Esperava por isso. Casamentos sem lastros espirituais fatalmente resultam em problemas, principalmente quando um dos cônjuges tem vocação para a leviandade.

— O que podemos fazer?

— Fique vigilante, em face das influências que Rino certamente está atraindo. Em favor das crianças é importante que preservemos o lar.

— Uma separação agora não abriria a chance para que Roberto e Cristina cumprissem seu projeto de vida, unindo-se?

— O problema, Fernando, é que estamos num *Plano B*, conforme conversamos, e creio que essa crise terá desdobramentos. Vamos esperar.

ロロロロロ

Por mais Cristina e Dolores tentassem evitar, Cristóvão acabou percebendo que algo grave estava acontecendo com a filha. Não houve como deixar de contar-lhe.

Imediatamente pediu ao genro que o procuras--se na fazenda, junto com a esposa.

Instado a falar a respeito, Rino, em lágrimas, repetiu o que já dissera tantas vezes à esposa.

— Amo Cristina e meus filhos. Nossa família é tudo para mim, mas peço-lhe que tenham paciência comigo. É preciso dar um tempo para que eu me liberte dessa ligação...

Cristóvão procurava conter o impulso de dar uns sopapos naquele genro de fraco caráter...

— Está na *Bíblia* que não podemos ser mornos. Ou você assume essa relação pecaminosa e separa-se de minha filha, ou esquece essa mulher que está tumultuando seu casamento.

— O senhor não entende. Não é uma questão de querer, mas de poder. Eu não consigo...

— Pois então, separem-se! Assuma sua paixão!

Dolores interpôs-se.

— Calma Cristóvão, vamos devagar.

— Nada disso, Dolores! Essas coisas pedem determinação. É resolver e pronto!

Rino prometeu que resolveria, mas a paixão era mais forte.

Os dias arrastavam-se, lar conturbado.

Após relutar por algum tempo, Cristina telefonou para o consultório de Roberto, em São Paulo.

Ansiava ouvir sua voz, seus conselhos...

Para sua surpresa, foi informada que ele viajara para o exterior.

Ficaria afastado do Brasil por dois anos.

ロロロロロ

Roberto recebera convites da *Médicos sem Fronteiras,* valorosa organização não governamental, sem fins lucrativos, que envia profissionais de saúde para atuar em regiões carentes e conflituosas.

Sempre recusara, embora reconhecendo tratar-se de trabalho dos mais meritórios. Tinha uma tarefa a desenvolver no Brasil, conforme lhe informavam os mentores espirituais nas reuniões de que participava.

Não obstante, decidira aceitar o convite para um estágio de dois anos, após conversar com Angelina.

Em princípio a prestimosa mãe não se dispunha a concordar, mas Roberto foi incisivo.

– O problema, mamãe, é que não devo permanecer perto de Cristina. Acabarei me envolvendo numa ligação que não é lícita, tendo em vista seus compromissos conjugais. Por isso resolvi aceitar o convite.

– Mas precisa ir tão longe?

– Não é apenas a questão da distância, mamãe. Sempre pensei em trabalhar na organização *Médicos sem Fronteiras.*

– Sim, mas há tanto a fazer em nosso país, tanta gente carente...

– Ora, ora, Dona Angelina, não se preocupe. Volto rapidinho...

– Está bem filho, ficarei orando. Deus o abençoe e proteja!

Capítulo 26

Com a determinação das pessoas orientadas pelo egoísmo, Sandra, sem medir consequências, insistia para que Rino deixasse a família.

Impunha-se diante dele:

– Não aceito essa situação. Se me ama, trate de resolver logo! Não pretendo perder minha juventude, minha sanidade, num relacionamento que não me agrada, que está se transformando numa tortura.

– Mas, Sandra, – implorava Rino – tenha paciência! Não posso desfazer meu casamento de repente. Há os filhos, meus compromissos, minha responsabilidade.

– Seu compromisso agora é comigo. Esqueça o passado. Esqueça os filhos. Teremos nossos próprios filhos.

Fernando acompanhava extremamente preocupado o desenrolar dos acontecimentos.

Procurava afastar entidades das sombras atraídas pela irresponsabilidade do casal, mas era como afugentar moscas de um ferimento.

Pouco se pode fazer por pessoas envolvidas com a espiritualidade inferior, se insistem num comportamento vicioso e irregular.

Richard Simonetti

Pressionado por Sandra, por entidades malfazejas e pela própria paixão desvairada que o acometera, Rino deixou o lar, alojando-se num *flat*.

Logo, sem nenhum constrangimento, mudou-se para o apartamento de Sandra.

ㅁㅁㅁㅁㅁ

Ao tomar conhecimento Cristóvão ficou possesso. Homem de moral ilibada, cumpridor de seus deveres religiosos, não podia admitir tamanha falta de responsabilidade de seu genro.

Cristina procurou acalmá-lo.

– Não adianta brigar, papai. Não podemos esquecer que Rino é pai de seus netos. Se resolveu se separar é direito dele, e temos que pensar em nossos filhos. Brigas lhes farão mal.

Dolores não escondia a preocupação.

– E agora, minha filha, o que vai ser de você?

– Não serei a primeira nem a última esposa abandonada pelo marido. É triste encerrar um casamento com filhos, mas a verdade é que há algum tempo eu vinha sentindo que nos faltava aquele companheirismo que dá estabilidade às ligações conjugais. Nem posso criticar Rino. Acabou encontrando fora do lar algo que não via em mim.

Cristóvão não se conformava.

– O casamento, minha filha, não é um mar de rosas, e depois de algum tempo fenece a paixão. É quando deve vir a melhor fase, de entendimento, que faz a comunhão das almas.

– Concordo, papai, mas não podemos exigir de Rino o que ele não quer ou não pode dar.

– O que vão fazer?

– Rino vai passar nossa casa para os filhos e pagará uma pensão alimentícia, que será determinada no processo de divórcio. Pretendo trabalhar, também. É preciso cuidar de nosso sustento.

– Não se preocupe quanto a isso. Vou integrá-la numa de minhas empresas. Não lhe faltarão recursos.

Não obstante os planos, o divórcio não se consumaria.

ロロロロロ

Tão logo se instalou no apartamento de Sandra, Rino experimentou em princípio alguma euforia, envolvido pela sedução da companheira.

Foi algo passageiro. Em breve cresceu dentro dele incontrolável tensão. Sandra, no dia a dia, era voluntariosa e exigente. Fugazes eram os momentos de entendimento entre ambos, sob a inspiração da sensualidade.

Carinho mesmo, cuidados, ela reservava para o filho Vicente, garotinho tranquilo de quem Rino pas-

Richard Simonetti

179

sou a sentir ciúmes, diante dos cuidados desvelados que Sandra lhe dedicava.

Chegou a sentir raiva do menino, embora ele fosse de boa índole, jamais o tratando mal, sempre sorridente e amigo.

E reclamava para a companheira.

– Queria que você me oferecesse um pouco dos cuidados e da atenção que dispensa ao Vicente.

– Ora, Rino, está com ciúmes do meu filho? Só isso que me faltava. Saiba que Vicente é a pessoa mais importante de minha vida.

– E eu, que lugar ocupo?

– Nunca lhe prometi dedicação exclusiva. Damo-nos bem na intimidade, mas ambos temos nossos compromissos.

Rino não se conformava.

– Não pretendo ser apenas objeto sexual em sua vida, Sandra. Pensei em construir um lar. Você mesma afirmou que queria filhos...

– Deus me livre! Estragar minha juventude cuidando de crianças! Um filho já está de bom tamanho. Gosto de você, temos afinidades físicas, damo-nos bem, porém não exija o que não estou em condições de lhe oferecer.

E tantos foram os desentendimentos, tão grande a pressão, que Rino acabou afetado fisicamente, ele que sempre fora forte e saudável.

Em meio a uma das intermináveis discussões, a pressão arterial elevou-se drasticamente e ele sofreu um AVC, com ruptura de um vaso no cérebro, em processo de derrame.

Caiu ao solo, estertorando.

Sandra chamou imediatamente o socorro médico. Rino foi internado na UTI em hospital próximo, com risco de vida.

Silas Crispim e a esposa Júlia acorreram ao hospital.

– Então Sandra, o que houve com Rino?

– Há uma hemorragia cerebral, provocada por aneurisma que rompeu. Se não for operado imediatamente, morrerá.

– E quanto à família dele? – perguntou Júlia.

– Que família, mamãe? Eu sou sua família.

– Não é bem assim, minha filha. Ele ainda é casado, tem três filhos. É preciso que saibam o que está acontecendo.

– Não quero ninguém por aqui me perturbando.

Silas, como sempre, apoiou a filha.

– Ela tem razão, Júlia. Passado é passado. Vamos cuidar do presente.

– O que é isso, Silas? Não estamos conjugando verbos. Falamos de gente, a família de Rino. Principalmente os filhos devem saber. Temos obrigação de informá-los.

E tanto Júlia insistiu que pai e filha resolveram cumprir dever elementar: avisar Cristina.

A própria Júlia telefonou-lhe, não obstante já passar da meia-noite.

— É Cristina?

— Sim.

— Desculpe incomodá-la. Você não me conhece. Sou Júlia, mãe de Sandra. Liguei para informá-la de que houve um problema com Rino. Ele sofreu um AVC e neste momento está sendo operado para livrá--lo de um aneurisma. Cirurgia delicada.

Cristina ouviu assustada e nervosa a informação.

Não obstante os conflitos que culminaram com a separação, tinha consideração pelo marido, principalmente pelo fato de ser o pai de seus filhos.

— Meu Deus! É grave assim?

— Não se preocupe. A equipe que está cuidando dele é das melhores. As perspectivas são otimistas.

Após anotar o endereço do hospital, Cristina agradeceu e telefonou para a fazenda.

Cristóvão, que via o noticiário na televisão, logo atendeu.

— Oi, papai, desculpe ligar tão tarde. É que aconteceu um problema com Rino.

Em breves momentos Cristóvão foi informado, dispondo-se a acompanhar Cristina, juntamente com Dolores, ao hospital.

Sandra e os pais permaneciam em sala reservada.

Cristina não a conhecia. Surpreendeu-se com suas formas exuberantes. Reconheceu que ela seria capaz de virar a cabeça de qualquer homem pouco consciente de seus deveres, como acontecera com Rino.

Encarou-a sem ressentimentos. Certamente estava na sua vocação o que fizera. Se mágoa houvesse seria de Rino, mas mesmo em relação a ele só havia tristeza.

Sentia-se de certa forma responsável por aquela situação. Não era a esposa que ele sonhava, tratando-o com delicadeza, mas com aquele distanciamento físico, ausência de desejo, ligação sem afinidade, sustentada pelo amor aos filhos.

Cumprimentaram-se constrangidamente.

Silas e Júlia logo quebraram o gelo, pondo-se a conversar com Cristóvão e Dolores.

Informados, horas depois, de que a cirurgia correra bem, Cristina e os pais deixaram o hospital.

Rino ficaria sob os cuidados da mulher que elegera por companheira.

Richard Simonetti

Capítulo 27

O paciente esteve internado por um mês, recuperação lenta, problemática.

Como médica Sandra sabia das consequências de uma experiência daquela natureza.

Conversou com o neurologista que cuidava dele.

— Então, Gonçalves, quais as perspectivas?

— A lesão foi grande, com consideráveis prejuízos para o cérebro. Rino não se recuperará plenamente. Haverá sequelas em todo o lado direito do corpo. Terá dificuldades para movimentar-se.

— Não há nada que se possa fazer?

— O tempo dirá o quanto será possível recuperar. A fisioterapia hoje faz prodígios, mas não espere por milagres.

O prognóstico confirmou-se com o passar dos meses. Rino era candidato certo à aposentadoria por invalidez.

Por outro, lado desaparecera o amante viril, substituído pelo enfermo neurótico, que não conseguia lidar com as próprias limitações.

Não tardaram as desavenças, a acidez no tratamento, conturbando a vida doméstica.

E havia as rotinas de fisioterapia, enfermeiros de plantão, consultas médicas...

Sandra afastou-se rapidamente de qualquer expressão de afetividade, até então sustentada por uma atração sensual que já não existia.

Acabou concluindo que não havia por que continuarem juntos. Como todas as pessoas orientadas pelo egoísmo, sem espaço para os valores do coração, não experimentava nenhum constrangimento em livrar-se de situações que não a agradavam.

Silas, sempre interessado no bem-estar da filha, julgou acertada sua decisão.

Júlia preocupou-se com tanta frieza.

— Sandra, não pode descartar Rino como se fosse objeto indesejado! É seu companheiro. Deixou a família para ficarem juntos!

— Ora, mamãe, não somos casados e não estou disposta a cuidar de inválidos. Sou jovem, quero desfrutar a vida, tenho minhas necessidades.

— Não é justo, filha. Está faltando ao mais elementar princípio de solidariedade. Ele precisa de você.

— Mas eu não preciso dele. Injusto é estar presa a alguém que se tornou um peso para mim.

— Inverta a situação. Como se sentiria se estivesse no lugar de Rino?

— Não pretendo orientar minha vida a partir de

suposições. Quero viver o presente, sem transtornos, sem nada que iniba a liberdade de fazer o que quero.

Na verdade, Sandra só tinha olhos e cuidados para Vicente, o filho por quem nutria amor extremado, algo inusitado num caráter tão frio.

É que, a par do amor materno, instituído por Deus para converter as mulheres em anjos guardiões das crianças, havia uma ligação afetiva do passado. Vicente era um companheiro de milenares jornadas.

Ele, desperto mais cedo para as realidades espirituais, empenhado na vivência das leis divinas, servidor incansável do Cristo.

Ela, distraída, ainda orientada pelos impulsos de animalidade instintiva que caracterizam a maior parte dos Espíritos que estagiam em nosso planeta.

Essas ligações, leitor amigo, são bênçãos divinas em favor de nossa evolução. Inspiram os que se adiantam a cuidar dos que se atrasam, estendendo-lhes as mãos.

Por amor a Sandra, Vicente reencarnara como seu filho, com o propósito de aplicar-lhe um *choque de despertamento,* como veremos.

Por amor a Vicente, Sandra adiou por alguns meses o *despejo* de Rino. O garoto, sensível e bondoso, como todo Espírito evoluído, afeiçoara-se ao padrasto e se incomodava com a frieza da mãe, que era toda carinho com ele, mas distanciava-se cada vez mais do companheiro, encarado agora como transtorno.

Soubesse Sandra como a Vida lhe cobraria os impulsos egoísticos e haveria de horrorizar-se de si mesma.

◻◻◻◻◻

Falou a voz ao telefone:

— Bom dia, Cristina.

— Bom dia.

— É Sandra. Precisamos conversar...

— Algo a ver com Rino?

— Sim.

— Algum problema?

— Explicarei pessoalmente.

Encontraram-se num restaurante.

Sandra não fez rodeios.

— Estou me separando de Rino. Não há condições para ficarmos juntos.

— E daí? O que tenho com isso?

— Bem, legalmente, vocês ainda estão casados e há três filhos.

— Está pretendendo que eu o receba em minha casa?

— Parece-me o mais lógico. Afinal há laços fortes entre ambos, envolvendo filhos e um histórico de vivência em comum. Minha ligação com ele foi efêmera. Quero minha liberdade. Se você não quiser recebê-lo, o mandarei para um asilo, já que ele não tem a mínima condição para sustentar-se com o auxílio-doença que vem recebendo.

Cristina chocou-se com frieza daquela mulher. Intencionava simplesmente *devolver a mercadoria*, que já não a interessava. Sentiu imensa piedade de Rino. Imaginava seu sofrimento, sendo simplesmente descartado.

Desejou falar poucas e boas àquela mulher insensível, preocupada apenas com o próprio bem-estar. Conteve-se. Tinha noção de que isso apenas complicaria a situação.

– Dê um tempo, vou ver o que posso fazer.

ロロロロロ

Cristina foi até a fazenda. Expôs aos pais a situação.

Ambos indignaram-se com a desfaçatez de Sandra, mas reconheciam que Rino precisava da filha.

Dolores, mulher sensível e evangelizada, compadecia-se de Rino. Fora mais uma vítima de sua própria imaturidade ao envolver-se naquela experiência passional.

– Minha filha, sei que não será fácil, mas tudo o que temos aprendido com nossa religião é que não

Richard Simonetti

189

podemos recusar auxílio aos carentes, principalmente quando vinculados à nossa família.

– O fato, mamãe, é que não sinto por Rino senão piedade, e fico pensando se valerá a pena recebê-lo de volta, já que não o amo.

– Pense nos filhos, Cristina. Você está tendo a chance de reunir novamente a família. É importante, principalmente para Marisa, tão apegada ao pai. Você sabe o quanto ela tem sofrido sem ele.

– E o senhor, papai, o que acha?

– Concordo com sua mãe, mesmo porque nossa crença é bem clara quanto ao empenho por preservar o lar.

– Se é para cumprir a religião, não vejo por que receber Rino de volta. Jesus admitia que a infidelidade é justificativa para a separação.

– Infidelidade da mulher...

Cristina não pôde deixar de sorrir, ante a observação do pai, embora a seriedade do assunto.

– Isso quer dizer que Jesus era machista. Ao homem, seria permitido adultério. À mulher, apedrejamento se ousasse?

Dolores tratou de encerrar a polêmica:

– Parem com isso. Importa considerar que Jesus consagrou o perdão para resolver nossas pendências. Rino é o filho pródigo de retorno ao lar. Não vamos fechar-lhe a porta!

– Mesmo sem amor de minha parte?

– Você pode não amá-lo como marido, mas ame-o como um irmão, pai de seus filhos, necessitado de sua proteção. Lembre-se de que ele não tem ninguém. Prefere vê-lo num asilo para indigentes, mergulhando no desespero e na revolta?

Cristina reconheceu que a opção mais razoável seria receber o marido, mesmo após ter sido abandonada por ele. Ao contrário de Sandra, era generosa e sensível.

Em breves dias, Rino voltava ao lar.

Juvenal e Marcos, os gêmeos, agora adolescentes, revoltados com o pai não pareciam felizes, mas atendendo aos apelos de Cristina, buscaram aproximar-se.

Marisa, quem mais sentira com a separação, em face de sua afinidade com o pai, ficou feliz, e desde então foi sua grande companheira.

Suspenso o processo de divórcio, Cristina transformou-se em enfermeira do marido.

Rino, que conservara as faculdades mentais, não obstante as limitações físicas, vivia o drama do homem que reconhece um mau passo, e desejaria com todas as forças que o tempo voltasse, que pudesse ter evitado o erro de envolver-se com uma mulher cruel e egoísta, quando tinha ao seu lado uma companheira dedicada, mãe prestimosa.

Agora seriam, quando muito, amigos apenas, num relacionamento de enfermeira com doente, porquanto mais do que a barreira estabelecida pela traição de Rino, Cristina tinha plena consciência de que seu coração pertencia a Roberto.

Lamentava sua imaturidade que a prendera a alguém que não amava e que se tornara para ela apenas um compromisso, um exercício de altruísmo, em favor dos próprios filhos.

Tão logo se instalou em casa, Rino desabafou:

– Sei que você deve estar revoltada comigo, Cristina, mas, por Deus, eu lhe asseguro que estou arrependido. Não sei onde estava com a cabeça quando me envolvi com outra mulher. Você é tudo que quero, sempre será minha esposa querida. Perdoe-me, por caridade e diga que ainda me ama.

– Não se preocupe, Rino, não há o que perdoar. Já passou. O importante agora é você se cuidar e recuperar a saúde. Vamos deixar o passado para trás. Eu o amo sim, fique tranquilo. Haveremos de superar as dificuldades atuais.

Cristina não mentia ao dizer que o amava, amor fraternal de quem via no marido um irmão de quem precisava cuidar.

Capítulo 28

*A*tendendo à orientação dos coordenadores de *Médicos sem Fronteiras,* Roberto fixou-se num campo de refugiados no Sudão, um dos países mais pobres da África.

Sem meios de comunicação, Angelina só tinha notícias do filho em cartas que periodicamente chegavam.

E explicava:

O país está em guerra civil há décadas. Populações inteiras são dizimadas.

No campo de refugiados onde trabalho a situação é caótica.

Para a senhora ter uma ideia, faltam até sanitários e banheiros.

A comida é insuficiente. A desnutrição aumenta sempre. O povo está literalmente morrendo de fome.

Para complicar não há água suficiente para o consumo, para a higiene pessoal. Não há nem mesmo sabão.

Raros não estão doentes, nesta região quase desértica, com muita areia que o vento leva para os olhos e os pulmões. Em muitos casos os refugiados não possuem nem mesmo uma tenda para se abrigar.

Richard Simonetti

Nosso trabalho é insano. Há multidões de doentes a serem atendidos, não há remédio em quantidade suficiente, nem mesmo anestésico para cirurgias. Operações de emergência são realizadas a sangue frio, submetendo os pacientes a verdadeira tortura para salvar-lhes a vida.

Eu, que me consagrara a cirurgias cardíacas, aqui faço de tudo, sou um cirurgião geral.

Entendo por que a Terra é planeta de provas e expiações. É o egoísmo que orienta as pessoas, sempre no empenho de cuidarem de si mesmas, e o resto que se dane.

Tenho conversado com meus colegas a respeito do assunto, mas percebo um bloqueio, um ceticismo, que lhes impede de entender o porquê dessas situações.

Revoltam-se contra a religião, argumentando que se Deus existisse não permitiria uma situação tão miserável, tantos sofrimentos e dores.

Não obstante, vejo neles admiráveis idealistas e tanto mais valorizo o seu trabalho quando vejo que não são movidos por uma fé, mas por sentimentos inatos de solidariedade.

Sem uma visão mais ampla dos destinos humanos, como oferece o Espiritismo, fica impossível conceber a existência de um Deus justo e misericordioso como ensinam as religiões tradicionais, ante situações dessa natureza.

Epicuro, famoso filósofo grego, tinha questionamento irrespondível sobre o assunto, se descartamos a ideia de que somos seres perfectíveis, destinados à perfeição, mas ainda imperfeitos.

Ou Deus quer impedir o mal e não pode,
ou pode e não quer.
Se quer e não pode, é impotente.
Se pode e não quer, é malvado.
Se não pode nem quer, é impotente e malvado.
Se quer e pode, por que não o faz?

Na verdade, amigo leitor, o mal é apenas a ausência do Bem, tanto quanto existem trevas enquanto a luz não se faz.

Sempre uso a imagem do ovo choco para explicar a aparente contradição a que se refere Epicuro.

Se o quebrarmos ficaremos nauseados por aquela massa disforme, repugnante, mal cheirosa...

Mas se deixarmos a Natureza seguir seu curso, em breve o ovo se romperá de dentro para fora e teremos a beleza do pintainho.

Somos seres em gestação no ventre da Natureza. Não constituímos uma visão agradável, mas, no desdobrar das múltiplas existências, superaremos nossas limitações para que nasça o anjo, o Espírito puro, obra-prima de Deus.

Richard Simonetti

Há quem questione que Deus poderia nos ter feito perfeitos, evitando tanto trabalho, mas então já não seríamos Seus filhos. Apenas máquinas, computadores programados...

No seu anseio de paternidade, você se contentaria em ter apenas um computador, leitor amigo?

◻◻◻◻◻

Roberto evitava perguntar por Cristina, embora ela sempre estivesse presente em seu coração, senhora de seus pensamentos.

Melhor assim. Afinal, fora exatamente para não se envolver com sua vida que se ausentara do país.

Capítulo 29

*C*ristina procurou Angelina em São Paulo para falar-lhe sobre Cristiam.

– Ele não teve mais aquelas crises. Estamos impressionados com o que aconteceu, porquanto na nossa crença só podia ser obra do demônio. Vimos com nossos próprios olhos que era Cristiano, não o tinhoso, mas gostaria de esclarecer algumas dúvidas. Antes, porém, como está Roberto, na tarefa que abraçou?

– Está bem, minha filha, se é que podemos dizer que alguém vai bem naquele inferno em que está vivendo.

Contou em detalhes a experiência do filho em Darfur.

Cristina emocionou-se com a abnegação daquele médico querido, senhor de seu coração, mas ao mesmo tempo não conseguiu esconder a preocupação.

– Meu Deus! É uma situação perigosa. A senhora não teme pela segurança do Roberto?

– Ponho nas mãos de Deus, minha filha. Ele foi a serviço do Bem. Estará protegido.

Cristina daria tudo para ir ao seu encontro, colaborar com ele, trabalhar pelos refugiados. Por pior que fosse a situação, seria uma bênção estar ao lado do homem amado. Embora não houvesse cursado Medicina, como sempre desejara, seria útil de alguma maneira... Entretanto, havia os compromissos familiares, os filhos e, sobretudo, Rino com suas limitações.

— Bem, dona Angelina, depois daquela reunião espantosa em casa de meus pais, Cristiam ficou praticamente bom. Não experimentou novas crises, mas tenho algumas dúvidas. Em primeiro lugar, admitindo que era Cristiano quem tentava comunicar-se, e que ele foi atendido na reunião, o que será dele agora?

— Embora as dificuldades de quem não estava preparado para morrer, e comprometido com a imprudência, certamente está bem amparado e seguirá seu caminho. A vida continua no mundo espiritual, bem mais rica e grandiosa do que a existência física.

— Cristiam está morando comigo, em Sorocaba. Embora sem novas crises, sinto que anda inquieto, nervos à flor da pele, dotado de grande sensibilidade.

— Ele é médium e precisa disciplinar suas faculdades. Enquanto não o fizer, será sempre sensível às influências ambientes. Mais feliz do que os noivos, num casamento; mais triste que os familiares do morto, num velório.

– Impressionante! É exatamente o que acontece com Cristiam!

– E tem mais. Aprendemos no Espiritismo que em princípio os Espíritos controlam o médium. O desejável é que ele controle os Espíritos, o que não é novidade. Como evangélica, você deve conhecer uma observação de Paulo, na *Primeira Epístola aos Coríntios*, quando afirma que *o Espírito do profeta deve estar sujeito ao profeta*. Profeta é o médium, que deve controlar sua sensibilidade, a fim de não ser envolvido por outro Espírito.

– Como aprender tudo isso?

– Frequentando um Centro, fazendo uma iniciação espírita.

– Fico apreensiva. Meu pai jamais concordará.

– Isso tem acontecido com muitos médiuns em relação à família, mas os próprios interessados acabam por romper essa barreira, em face de suas necessidades. Percebem que precisam desse apoio.

¤¤¤¤¤

Cristina não teria dificuldade em fazer uma iniciação espírita. Estava desiludida com sua religião, que não lhe oferecia respostas às dúvidas existenciais.

O mesmo acontecia com Cristiam, que há tempos deixara de frequentar a igreja.

Dolores, que sempre pensava nos filhos, acima de suas cogitações de ordem religiosa, embora a fé que a inspirava, não seria difícil de convencer.

Cristina conversou com ela por telefone.

– Mamãe, temos que encarar a realidade. Nossa igreja não tem a mínima condição para ajudar Cristiam. Vimos claramente Cristiano falar por seu intermédio. O pastor diz que é o demônio, mas sentimos que não é bem assim. Cristiam precisa buscar um Centro Espírita. Proponho-me a ir com ele, mas não quero nada escondido. Precisamos falar com papai.

Dolores acostumada a ver o Espiritismo pela ótica torta dos pastores de sua igreja, tinha certo receio de ver o filho num Centro Espírita. Contudo, não podia negar o fato de que fora um espírita que resolvera seu problema.

– Está bem, filha, falaremos com Cristóvão.

Naquele mesmo dia Cristina foi à fazenda e, após o jantar, conversaram.

– Papai, Cristiam melhorou depois daquela reunião. Não obstante, Roberto advertiu-me de que ele é médium, sensível à influência dos Espíritos, e se não disciplinar essa sensibilidade vai ter novos problemas.

Cristóvão, fervoroso adepto de sua igreja, nunca tivera cogitações existenciais que o levassem a duvidar de certas orientações e disciplinas. Como acontece com muita gente, tanto ele quanto a esposa não eram do tipo questionador. Por isso não via com bons olhos o que Cristina estava insinuando.

– Pretende que ele comece a frequentar um Centro Espírita?

– Exatamente!

– Sabe que isso vai contra a nossa fé!

– Não penso assim, papai. Devemos pensar no bem-estar de Cristiam. Se nossa igreja não solucionou seu problema, justo que busquemos auxílio junto à crença de alguém que nos ajudou. Roberto é homem. de ciência. Angelina é mulher esclarecida e inteligente. Não estariam vinculados ao Espiritismo se não se tratasse de algo sério. Estamos condicionados a ver nas práticas espíritas obras do demônio. Mas será que é mesmo assim? Vimos a manifestação de Cristiano. Enquanto nosso pastor o tratava como se fora o diabo, Roberto nos deu uma visão diferente, mostrando que era meu irmão quem estava ali, precisando de ajuda. Creio que nossas igrejas pararam no tempo, rejeitando revelações importantes que nos permitem entender melhor esses fenômenos espirituais.

– Mas, minha filha, seria um escândalo!

– Iremos a um Centro em São Paulo, sob orientação de dona Angelina. Ninguém ficará sabendo.

– O que acha, Dolores?

– Concordo com Cristina.

Richard Simonetti

Cristóvão reconheceu que ambas tinham razão, embora lhe causasse grande desgosto ver os filhos entrando num Centro Espírita.

Pesava em sua decisão o fato de Roberto ser espírita. Tinha grande respeito por ele, por sua inteligência, cultura e bondade e certamente o dedicado médico não se envolveria com fantasias.

– Está bem, mas vamos evitar que o pastor Nemésio fique sabendo. Seria embaraçoso.

– Não se preocupe, papai, seremos discretos.

Capítulo 30

Cristina e Cristiam foram atendidos por Santos, dedicado voluntário do *Centro Espírita Amigos do Mestre*, vinculado ao serviço de atendimento fraterno.

– Angelina colocou-me a par da situação. Pelo visto você tem o que chamamos de mediunidade, Cristiam. Trata-se de uma sensibilidade à influência dos Espíritos que poderá fazer de você um intermediário deles.

Cristiam em princípio não estava interessado nessa possibilidade. Desejava simplesmente livrar-se daquela montanha russa em que vivia, da euforia à depressão, sentindo-se ora bem, ora mal, de conformidade com os ambientes que frequentava.

– Tem cura?

– Não, meu filho, não tem cura, porque não se trata de uma doença. É, digamos, uma faculdade, um dom, que nos permite entrar em contato com o mundo espiritual.

– Por que esse dom, se não sou espírita?

– Mediunidade é uma condição espiritual, não religiosa. Na verdade todos somos médiuns, podemos

Richard Simonetti

203

sofrer a influência dos Espíritos. Nem todos, como você, revelam sensibilidade maior para atuar como intermediários.

— E se eu não quiser?

— Você tem o livre-arbítrio. Não é obrigado, mas sempre sofrerá as atribulações de uma sensibilidade não disciplinada.

— Castigo?

— Em absoluto, apenas consequência. Imagine os transtornos para a ave que se recusasse a voar, ou o peixe que se recusasse a nadar...

— Por que sou assim?

— Geralmente os médiuns prepararam-se no mundo espiritual para desenvolver essa tarefa na Terra.

— Se há esse compromisso, por que nasci numa família de evangélicos, que veem no Espiritismo coisa do demônio?

— O mesmo poderiam perguntar os primeiros cristãos, que enfrentavam forte oposição familiar ao aderirem aos ensinamentos de Jesus. Você tem compromissos com a família carnal. Por isso está junto dela, mas também compromissos de ordem espiritual, assumidos em seu próprio benefício. Por outro lado, não tenho dúvida nenhuma de que experiências como a sua vão se multiplicar cada vez mais nos círculos religiosos, obrigando os teólogos a repensarem suas convicções fantasiosas, relacionadas com o demônio. Um grande pensador espírita, Léon Denis, dizia que o Espiritismo não será a religião do futuro, mas o futuro das religiões. Mais cedo ou mais tarde todas assimilarão seus princípios.

– O que devo fazer?

– Vou recomendar uma série de passes magnéticos para ajudá-lo a equilibrar-se. Nas palestras doutrinárias você receberá orientação, até que possa frequentar um curso de Espiritismo.

– Passe magnético?

– É um tratamento espiritual que envolve doação de magnetismo pelo passista, retemperando psiquicamente os pacientes, assim como o anêmico se fortalece recebendo uma transfusão de sangue.

E assim, Cristina e Cristiam, premidos pelas circunstâncias, iniciaram-se na Doutrina.

ᠭᠭᠭᠭᠭ

Conforme está no livro *Atos dos Apóstolos,* numa comemoração de Pentecostes, da comunidade judaica, em que se celebrava o advento dos *Dez Mandamentos da Lei,* recebidos por Moisés no Monte Sinai, eis que os apóstolos tornaram-se intérpretes de Espíritos superiores que orientavam o movimento, sob a denominação genérica de Espírito Santo.

Falaram em várias línguas a uma assembléia de cento e vinte pessoas, embora fossem humildes pescadores, que mal conheciam o aramaico.

Quase todos se maravilharam, mas houve quem zombasse, dizendo que estavam embriagados. Pedro, tomando a palavra, retrucou (Atos, 2:15-17):

Estes homens não estão embriagados, como vós pensais, sendo a terceira hora do dia.

Mas isto é o que foi dito pelo profeta Joel:

E nos últimos dias acontecerá, diz Deus, que do meu Espírito derramarei sobre toda a carne; e os vossos filhos e as vossas filhas profetizarão, os vossos jovens terão visões, e os vossos velhos terão sonhos.

Os grandes movimentos de esclarecimento da Humanidade são sempre marcados por uma multiplicação de fenômenos mediúnicos, o Céu a chamar a atenção da Terra.

Também o Espiritismo foi precedido desse *derramar do Espírito sobre a carne*, a se manifestar na dança das mesas girantes, em Paris, tão intensa que chamou a atenção do professor Hippolyte Léon Denizard Rivail.

A partir da análise desses fenômenos ele codificaria a Doutrina Espírita, sob o pseudônimo de Allan Kardec.

Na atualidade, esse *derramar do Espírito sobre toda a carne* vai se generalizando com o amadurecimento do psiquismo humano.

Natural, portanto, que em todos os quadrantes do globo terrestre, em todas as culturas, surjam pessoas como Cristiam, a vivenciar experiências de intercâmbio com o Além. Sentem-se perturbados e perplexos, até compreenderem que não estão doentes nem sob influência de forças demoníacas. São como cegos que começam a ver.

Dá para perceber, amigo leitor, o trabalho ingente que compete aos espíritas, portadores da mais esclarecedora mensagem oferecida aos homens, em relação ao assunto.

Capítulo 31

Os dois irmãos tornaram-se assíduos frequentadores do *Amigos do Mestre*. Afinizaram-se com o grupo e deslocavam-se semanalmente de Sorocaba a São Paulo para as atividades ali desenvolvidas.

Cristiam submeteu-se disciplinadamente à orientação do Centro. Em breve os dois irmãos matricularam-se num curso de Espiritismo e Mediunidade.

Cristina, inteligência viva e inquiridora, começou a perceber a enorme diferença entre os dogmas de sua religião e a Doutrina Espírita.

Princípios como a perfectibilidade do Espírito, a reencarnação, a lei de causa e efeito, a mediunidade, descortinavam-lhe horizontes mais amplos e respostas às suas indagações existenciais.

Não obstante, havia dúvidas em relação à sua trajetória.

Por que, tendo o ideal da Medicina desde cedo, seguira por outro caminho?

Por que encontrara Roberto, o homem de sua vida, tarde demais, e agora compromissada com o marido doente?

Richard Simonetti

Rino era seu destino ou fruto de desatino?

Conversando com Santos, que se tornara seu amigo e orientador, expôs-lhe suas dúvidas:

— Entendo que encarnamos para determinadas realizações, em compromissos relacionados com a família, a profissão, a coletividade. Não obstante, seria possível um desvio, seguir noutra direção?

— Infelizmente acontece com frequência. Ninguém vem à Terra para manter-se alheio aos objetivos da jornada humana; ninguém vem para exercitar indiferença ante às carências alheias, para tornar-se um drogado, um criminoso, um político venal, um marginal, um adúltero... Tudo isso é desvio de rota, é descumprimento de objetivos.

— E quanto ao encontro das almas? Imaginemos uma situação: reencarno para constituir família com determinado Espírito ligado ao meu coração, mas envolvo-me com outra pessoa, caso-me, tenho filhos. Posteriormente encontro aquele que deveria ser meu companheiro. Isso é possível?

— Sim. Nossos bons propósitos ao reencarnar nem sempre são observados, porquanto na espiritualidade nossa visão é clara e objetiva, em relação às nossas necessidades e deveres, enquanto que na Terra somos guiados, frequentemente, por ambições, vícios e paixões... Muitos se transviam.

— Perdem a existência?

210   O Plano B

– Não necessariamente. A experiência humana é rica de oportunidades. Mesmo aqueles que se comprometem no vício e no crime podem retificar seus caminhos, retomando a programação inicial.

– E quando isso é impossível? E quando uma jovem encontra o homem de sua vida já vinculada a compromisso que não pode ser desfeito?

– Aí, minha filha, é preciso atender aos reclamos da consciência e cumprir nosso dever, a fim de não incorrer em novo desvio.

ロロロロロ

Cristina dispensava o concurso do enfermeiro nas massagens em Rino, no período da noite.

Numa dessas oportunidades, aproveitando o ensejo de estarem a sós, ele confessou:

– Cristina, não cansarei de pedir-lhe perdão. Estou profundamente envergonhado em face da aventura em que me envolvi e dos sofrimentos que lhe causei. Além disso, vejo-me na inteira dependência de seu concurso. Você tem sido um anjo!

– Ora, Rino, não se preocupe. Não há o que perdoar. Todos estamos sujeitos a momentos de fraqueza. Nada faço além de minha obrigação. Você é meu marido.

Richard Simonetti

No fundo Cristina compadecia-se de Rino e fazia o propósito de cuidar dele, preservando a família.

Como acontece com as almas que despertam para a responsabilidade, vencendo a rebeldia que caracteriza o comportamento humano, Cristina não se sentia atormentada nem infeliz. Guardava a paz de uma consciência tranquila, de alguém que está fazendo o que é certo. Tranquilizava o coração deixando, para o futuro a realização de seus anseios em relação a Roberto, ainda que em tempo remoto, nos domínios do Infinito.

Capítulo 32

*P*ouco antes de cumprido o estágio de dois anos no *Médicos sem Fronteiras*, Roberto recebeu urgente comunicado: sua mãe estava gravemente enferma.

Retornou de imediato.

No hospital, em São Paulo, uma surpresa: a presença de Cristina junto ao leito materno.

Roberto mal conteve a emoção ao rever sua amada.

Abraçou-a, saudoso, e beijou Angelina com imenso carinho.

— Então, mamãe, o que anda aprontando?

— Ah, meu querido! Creio que seu pai está me chamando...

— Pois que espere o senhor Custódio, porquanto a senhora ainda tem muito a fazer por aqui. Cuidaremos de sua saúde.

— Creio que você precisa é cuidar de si. Está magro, abatido...

— Trabalho insano, muita miséria, muita gente sofrida. Reclamamos do Brasil porque não temos ideia do que sofrem as populações da África.

Richard Simonetti

– Tudo isso por causa do egoísmo humano, meu filho. Os africanos têm sido milenarmente explorados pelo homem branco, que nunca permitiu se instalassem no continente sistemas de ensino e apoio em favor do desenvolvimento.

– É verdade, e mesmo a situação atual poderia ser modificada se houvesse apoio efetivo dos governos mais ricos. Estes só pensam na África para explorar suas riquezas...

– Mas há gente boa, também, que se preocupa, que ajuda, que socorre, como você – falou Cristina, sorridente.

– Ah! Cristina, o que fazemos não é nada, apenas a dedicação de alguns meses ou de alguns anos, e pouca gente disposta... Precisaríamos de bem mais.

A enfermeira entrou para cuidar de Angelina.

Roberto convidou Cristina para o cafezinho.

– Fale-me de você, do que tem feito...

– Muitas coisas aconteceram desde que você partiu. A pior foi com Rino. Tivemos um problema que culminou com um AVC que o acometeu. Está com o lado direito do corpo paralisado, em situação precária.

– Sinto muito. Faz fisioterapia?

– Sim, e tem melhorado, mas segundo os médicos, em face do comprometimento, não devemos esperar por grandes resultados.

– A moçada?

– Tudo em ordem.

– E Cristiam?

– Dele, a notícia melhor. Estamos ambos frequentando o *Amigos do Mestre*. Ele está aprendendo a disciplinar sua sensibilidade e deverá logo participar de grupo mediúnico.

– Que bom, Cristina! Fico feliz, sobretudo por saber que você também está interessada no Espiritismo.

– Muito interessada! Tenho lido bastante e começo a compreender os mecanismos de causa e efeito que regem nosso destino, envolvendo a reencarnação.

– Realmente, a Doutrina é bênção divina em nossas vidas.

Procurando disfarçar a emoção que a presença de Roberto lhe despertava, Cristina perguntou:

– E dona Angelina?

– Conversei com o colega que a atende. O coração está debilitado. Não há boas perspectivas. Na verdade, desde que papai desencarnou ela se dedicou inteiramente ao meu bem-estar, mas sei que seu anseio maior é reencontrar o amor de sua vida.

– É maravilhoso poder reencontrar no mundo espiritual aqueles que amamos...

– Sem dúvida! Essa é a grande notícia que a Doutrina Espírita nos oferece. Por isso o Espiritismo é considerado o Consolador prometido por Jesus.

Richard Simonetti

— E esses laços perduram em futuras encarnações? Reencontram-se os que se amam?

— Se há amor, os laços perduram para sempre, compondo as chamadas famílias espirituais, almas afins que se amparam, que se ajudam. Nem sempre estão juntos. Às vezes nossos amados permanecem no mundo espiritual, mas nos acompanham e protegem. Os chamados anjos da guarda fazem parte dessas famílias.

— Vemos tantos lares mal ajustados, conflitos domésticos, parentes que não se dão bem. Como explicar essas situações?

— Nem sempre a família carnal é composta por membros da família espiritual. Não raro, são até adversários ligados pelo sangue, com o propósito de se reconciliarem. Daí as desavenças.

— Estes não ficarão juntos após a morte?

— Depende de como se comportem. Nossa família espiritual tende a crescer à medida que nos harmonizemos com outras almas. Oportuno sempre lembrar que Jesus tem como sua família espiritual toda a Humanidade. Para os Espíritos puros e perfeitos o Universo é o seu lar; os filhos de Deus, a sua família.

Cristina ficaria horas ouvindo Roberto falar-lhe daquela Doutrina maravilhosa que tanto a encantara. Na verdade passaria a vida toda ao lado daquele homem que reunia seus mais ardentes anseios.

Mas era preciso pôr os pés no chão, encarando a realidade. Buscando mudar o rumo da conversa, indagou:

– O que será feito por dona Angelina? Alguma cirurgia?

– Não, Cristina. Seu caso não é de cirurgia. Continuaremos com o tratamento, mobilizando os recursos de medicação da Terra, mas também da medicina do céu, com o tratamento espiritual.

Capítulo 33

Como ocorre com as pessoas espiritualizadas, que não trazem comprometimentos com os vícios e as paixões da Terra, Angelina percebia que sua hora estava chegando.

Afrouxando-se os laços que a prendiam ao corpo, abria-se a visão espiritual.

Isso lhe proporcionou encontro marcante com Custódio, que se apresentou a ela certa madrugada, no hospital.

Grande foi sua emoção com o marido a abraçá-la, carinhoso.

– Então, dona Angelina, preparada para o retorno? Estou a esperá-la, ansioso.

– É o que mais desejo, meu querido, mas estou vacilante. Temo por Roberto. O que será dele, sem ninguém da família a colaborar em sua missão?

– Não se preocupe. Roberto é um missionário médico, consciente e disciplinado. Esqueceu-se de que ele se casou com a Medicina? Os pacientes são sua família.

— Sim, eu sei disso, mas ele é humano, tem suas carências...

— Fique tranquila, tudo dará certo...

◻◻◻◻◻

Tão logo Roberto entrou no quarto, beijando-a, carinhoso, Angelina disse-lhe, sorriso débil.

— Recebi a visita de seu pai.

— Não diga que veio buscá-la. Seria uma desfeita de papai. Eu aqui, lutando por segurá-la entre nós, e ele querendo levá-la.

— É Deus, meu querido. Sinto que minha hora está chegando e partiria feliz se não fosse por você. Custódio disse-me que não me preocupe, porquanto você está casado com a Medicina e os pacientes constituem sua família, mas meu coração de mãe diz que há um vazio em sua alma, que só será preenchido por Cristina.

— É o sonho que não pode ser realizado, mas resolvi mudar o enfoque, vendo nela uma irmã querida, que precisa de meu apoio.

— Deus o abençoe, meu filho. Veja no bem-estar de Cristina e seus familiares o seu próprio bem estar e será feliz.

A partir dessa última conversa, Angelina silenciou. Algumas horas se passaram até que sua alma iluminada pudesse libertar-se, amparada por Custódio e vários companheiros da colônia *Abrigo das Almas,* para onde foi levada, vitoriosa sobre as provações humanas.

Capítulo 34

*N*o velório estiveram presentes Cristina, Dolores, Cristiam e Cristóvão. Puderam constatar como Roberto era querido no hospital.

Médicos, enfermeiros, funcionários de portaria, todos faziam questão de levar seu apoio àquele médico que admiravam pela competência, e, sobretudo, pela solidariedade que marcava seu comportamento.

Raros não lhe deviam um gesto de carinho nas horas difíceis, uma palavra amiga, uma providência salvadora em relação a problemas de saúde.

No horário aprazado para o sepultamento, Roberto dirigiu-se ao numeroso grupo presente.

– Meus amigos, peço um minuto de sua atenção. Como espírita sei que a morte é uma libertação. O apóstolo Paulo dizia na Primeira Epístola aos Coríntios: *Onde está, ó morte, o seu aguilhão?* Referia-se à sua convicção de imortalidade. Quando estamos conscientes de que a morte não existe e que a vida estende-se ao Infinito, podemos encará-la sem temor e dizer que nossos amados não morrem, apenas partem.

Richard Simonetti

Ocorre que o processo da morte não é simples. Estamos presos ao corpo de matéria densa por laços fortes a serem desligados após a falência orgânica.

Por isso há sempre algum constrangimento para o desencarnante, caracterizando a chamada crise da morte. Podemos amenizar essa dificuldade com nossas vibrações carinhosas. É o que peço aos presentes. Que me acompanhem, pensamento em oração.

Senhor Jesus, queremos pedir por minha mãe, que retorna vitoriosa ao mundo espiritual, após existência marcada por lutas e sofrimentos, mas, sobretudo, pela dignidade e bondade que a distinguiram.

Temos certeza de que ela está bem amparada e tudo o que desejamos é não perturbar-lhe a grande transição com nossos lamentos e dores. Por isso, mais do que por ela, rogamos por nós, Senhor. Ampara-nos em nossa vacilação e ajuda-nos a participar das alegrias da espiritualidade, iluminados pela certeza de que estamos apenas dizendo-lhe um *até breve!*

Por nós e por mamãe, lembramos a oração que nos ensinaste:

Pai nosso que estais no Céu.

Santificado seja o vosso nome.

Venha a nós o vosso reino.

Seja feita a vossa vontade, assim na Terra como no céu.

O pão nosso de cada dia, dai-nos hoje senhor.

Perdoai as nossas dívidas, assim como perdoamos aos nossos devedores.

E não nos deixeis cair em tentação, mas livrai-nos de todo o mal, pois vossos são o poder, o reino e a glória para sempre...

Assim seja.

Cristina e familiares impressionaram-se com a serenidade de Roberto.

Sabiam do carinho que tinha pela mãe e que ela era seu último elo com a família humana.

No entanto, comportava-se não com o desalento de quem vê a morte arrebatar-lhe um afeto, mas com a serenidade de alguém consciente de que o ser amado apenas transferiu residência para outras paragens, em separação transitória.

ooooo

Após o sepultamento, ainda no cemitério, Dolores aproximou-se.

– Roberto, meu querido, sei que sua mãezinha foi sua derradeira ligação familiar. Imagino o quanto é difícil a solidão. Por isso, se nos permite, eu e Cristóvão queremos adotá-lo, embora esteja já crescidinho. Será nosso filho, doravante.

Roberto recebeu sensibilizado aquela demonstração de carinho.

– Fico feliz, Dolores. Deus os abençoe! É grande conforto para meu coração!

A partir daí, Roberto, sempre que possível, passava fins de semana na fazenda em Ibiúna, estreitando laços de afetividade com aquelas almas tão queridas.

Capítulo 35

Conforme dissera a Angelina, Roberto sublimou seu afeto por Cristina, realizando-se no amor fraterno ao invés de torturar-se por impossível amor romântico. Sentia-se feliz simplesmente tendo-a por perto.

Para o homem do mundo seria razoável que ambos buscassem a realização de seu amor, desvinculando-se de qualquer compromisso.

Cristina, à luz do Espiritismo, sentia que Rino fora apenas desvio de rota, que a afastara de seus ideais e do homem de sua vida, antes que ele chegasse. Não obstante, intuía que assumira compromissos com o marido que era preciso respeitar, a fim de não incorrer em novo desatino.

Rino era grato a Cristina por sua dedicação, por tê-lo recebido de volta, inválido, doente, mas não conseguia furtar-se a impertinências dos que não aceitam suas provações, complicando a vida da família com suas exigências e queixas.

Marcos e Juvenal acabaram adotando certa indiferença em relação ao pai, evitando envolvimento com suas carências, o que apenas agravava a

Richard Simonetti

irritação de Rino, que não se conformava com o distanciamento dos filhos, sem compreender que não seria com agressividade e exigências que conquistaria sua atenção.

Rino reclamava:

— Não me conformo com esse desinteresse de Marcos e Juvenal. Nem parecem meus filhos. Não me dão atenção, não se importam com meus problemas. Só Marisa me faz companhia e demonstra carinho por mim.

Cristina buscava acalmá-lo.

— Ora, Rino, você sabe que os jovens são assim mesmo. Não se envolvem com os problemas dos mais velhos.

— Isso é egoísmo. Afinal, sou pai deles.

— Então, meu caro, comporte-se como tal e não como doente exigente a cobrar atenção.

— Você fala assim porque não está em minha situação.

— Sei disso, Rino, mas estou apenas tentando dizer-lhe que experimente conquistar a atenção de seus filhos, em vez de exigi-la. Boas palavras, um pouco de carinho, são agentes maravilhosos que aproximam as pessoas.

Pouco adiantavam as ponderações de Cristina.

Transformações comportamentais não obedecem à lógica de argumento que venha de fora, mas à disposição de mudar por dentro.

❑❑❑❑❑

Desde os primeiros contatos com Roberto, Rino antipatizara com ele, como que pressentindo que aquele médico atraente e de marcante personalidade era um intruso que poderia complicar seu casamento.

Não sabia que o intruso fora ele próprio, colaborando para o desvio de Cristina.

Pior acontecia agora em que, inválido, via Roberto aproximar-se de sua família.

Notava que Marcos e Juvenal tinham carinho especial por Roberto, com quem mantinham longos diálogos, demonstrando ambos interesse pela Medicina. Oportuno lembrar, leitor amigo, que ambos eram Espíritos ligados afetivamente a Roberto e que deveriam ter nascido como seus filhos.

A antipatia de Rino ficou evidente certa noite em que Dolores e Cristóvão, hospedados no lar de Cristina, convidaram Roberto para o jantar.

Logo ao chegar ele cumprimentou a todos, carinhoso. Beijou Marisa, Cristina e Dolores, sob o olhar inquieto de Rino.

Sempre gentil, cumprimentou:

– Então, Rino, como está?

– Como supõe que estou? Muito mal, como

Richard Simonetti

pode ver, um miserável inválido preso a uma cadeira de rodas...

Roberto tentou contemporizar.

– Sim, Rino, imagino que não é fácil, mas, se lhe serve de consolo, tenho um paciente em situação bem pior, que consegue conviver com seus males, sustentando boa qualidade de vida.

– Deve ser maluco. Somente um demente pode sentir-se com qualidade de vida em tal situação.

Dolores procurou desanuviar o ambiente..

– E a clínica, Roberto?

– Muito serviço, Dolores. As doenças cardíacas são as que mais atormentam os pacientes hoje em dia. Há muito que se fazer em favor da saúde humana.

Rino interrompeu, irritado.

– Está aí, problema que eu gostaria de ter: um mal do coração, bem grave, para morrer logo e acabar com meu sofrimento.

– Não vai resolver – acentuou Dolores, procurando conter as reclamações do genro. – É preciso estar bem com Deus e com nossa consciência, na hora da morte. Fala-se em ter uma boa morte. Entendo que boa morte não é a maneira como morremos, mas como estaremos ao morrer.

– Perfeito! – concordou Roberto. – A pessoa pode morrer num acidente e estar bem, ou morrer de velhice e estar mal.

Rino redarguiu, agressivo:

– Isso tudo é bonito para quem está saudável. Duvido que pensariam assim se estivessem na minha condição!

Irritado, movimentou a cadeira de rodas e afastou-se em meio ao constrangimento de todos, isolando-se em seu quarto.

ㅁㅁㅁㅁㅁ

Desde o princípio, quando Cristiam e Cristina interessaram-se pelo Espiritismo e tentavam passar a Rino algo das informações colhidas, ele as rejeitava.

Como todo Espírito imaturo, não aceitava que seus problemas de saúde e limitações físicas guardavam relação com sua maneira de ser.

Mais fácil culpar os outros, o destino, a vida, do que assumir as próprias responsabilidades.

A partir daquele dia, Roberto achou prudente não frequentar o lar de Cristina, limitando-se a conviver com os dois irmãos em atividades no *Amigos do Mestre*.

Cristiam progredia a olhos vistos no campo mediúnico. Era aplicado ao estudo e responsável. Recebeu várias vezes a manifestação do irmão, ainda um tanto perturbado.

Cristóvão era reticente em relação a esse trabalho, sempre firme em suas convicções religiosas,

Richard Simonetti

mas não podia ignorar que Cristiam era outra pessoa desde que se convertera ao Espiritismo.

Reconhecia que o pastor Nemésio estava equivocado ao situar os espíritas como agentes do demônio.

Dolores, mais acessível, emocionava-se ao receber notícias do filho desencarnado.

Numa das reuniões, com a presença de Roberto e Cristina, manifestou-se Augusto, o dirigente da colônia *Abrigo das Almas*, que, após saudações iniciais, dirigiu-se a Cristina.

– Cristiano tem feito progressos em sua nova condição. Ocorre que ele desencarnou prematuramente, num *acidente de percurso*, em face de sua imprudência. É necessário que retorne ao grupo familiar. Como sua mãe não tem condições de gerar filhos, providenciaremos para que ele venha por vias indiretas, como adotivo, desde que tenhamos a concordância de seus pais, principalmente Dolores.

Roberto prontificou-se a conversar com Dolores. No fim de semana foi até a fazenda e no momento oportuno, a sós com ela, disse-lhe:

– Dolores, sei que você tem algumas restrições ao Espiritismo, mas trago uma missão delicada, envolvendo o bem-estar de Cristiano.

Dolores, evangélica de coração, dentro da tradição familiar, mas aberta às ideias espíritas, preocupou-se.

– Não está bem?

– Está sim, Dolores, mas, segundo a palavra de um mentor espiritual, é necessário que reencarne, que volte a viver entre nós, no seio de sua família.

– Não entendo. Como viver entre nós, se morreu?

– Sei que é difícil entender, mas os Espíritos voltam muitas vezes à carne, evoluindo sempre.

– Mas ele será outra pessoa...

– Digamos que será ele mesmo noutro corpo.

– Como voltará a ser meu filho se não posso mais engravidar?

– Virá como filho adotivo.

– E como saberei que é Cristiano?

– Seu coração dirá.

– E Cristóvão? Jamais aceitará essa ideia.

– O importante será você querer. Ele acabará concordando.

Dolores era uma mulher generosa e decidida. Aceitou a proposta sem vacilar. Confiava em Roberto e, embora com dificuldade para entender a reencarnação, estava convencida de que seu coração lhe diria se porventura topasse com Cristiano de retorno.

ロロロロロ

Foi exatamente o que aconteceu um ano depois.

Visitando um orfanato onde costumava levar sua contribuição mensal, Dolores deparou-se com recém-nascido que ali fora deixado anonimamente.

O nenê chorava, carente de cuidados.

Tomando-o em seus braços, Dolores sentiu a mesma emoção que a felicitara ao acolher seus filhos.

Não teve dúvidas de que era Cristiano de retorno.

Imediatamente decidiu adotar a criança. Exultante, procurou Cristóvão.

— Meu querido, tenho uma notícia maravilhosa para lhe dar.

— Ganhamos na loteria?

— Melhor, ganhamos um filho.

Cristóvão espantou-se.

— Não me diga que está grávida. Impossível!

— Não, meu bem, não estou grávida, mas o Senhor nos abençoou com um nenê.

Dolores pediu à serviçal que trouxesse a criança.

— Aqui está nosso filho.

O fazendeiro imaginou, em princípio, que a esposa endoidecera ou estava brincando.

— Que é isso, mulher! Que loucura é essa?

— Não diga nada, meu bem. Apenas pegue o nenê.

Para não contrariar a esposa, Cristóvão obedeceu à sugestão.

Então, o milagre se fez. Uma onda de emoção tomou conta dele, sem saber que era o próprio filho de retorno, que acolhia em seus braços.

As lágrimas que afloraram diziam a Dolores que estava tudo bem. Cristiano estava de volta. Sem fugir à regra, Cristóvão logo escolheu o nome: Cristóbulo.

– Coitadinho, carregar esse nome para o resto da vida! Não tem pena de nosso filho?

– Como pode pensar assim, Dolores? Ele certamente há de se sentir honrado por ter em seu nome a lembrança de Jesus.

E ninguém o demoveu.

Capítulo 36

*D*olores fez questão de que Roberto fosse o padrinho do menino.

– Será que o pastor vai gostar? – brincou ele.

– Não se preocupe. Não perguntará por sua religião.

E lá se foi Roberto, tendo por companheira de batismo Cristina, a irmã querida que substituíra a mulher amada em seu coração. Comunhão de almas, muito mais importante do que a mera união de corpos.

Fernando e Carlos acompanhavam, satisfeitos, o desenrolar dos acontecimentos.

O *Plano B* estava funcionando.

Embora Cristina houvesse entrado em desvio, estava cumprindo um destino, enfermeira do marido, mãe prestimosa, companheira de Roberto em exercício de fraternidade que a ambos sustentava nos domínios da emoção.

– Você acha – perguntou-lhe certa feita – que nosso destino está traçado, desde o nascimento?

Roberto conhecia bem o assunto, estudioso da Doutrina Espírita, sempre alargando horizontes.

– Em linhas gerais sim, envolvendo casamento, filhos, profissão. Mas não é livro pronto. Apenas capítulos esboçados, que desenvolveremos ao longo da existência.

– Isso significa que podemos descumprir o proposto, enveredando por outros caminhos?

– Creio que acontece com frequência. Se todos cumprissem o que foi esboçado, a Terra seria um paraíso.

– Essa questão de desvio preocupa-me. Sempre desejei ser médica. De repente apaixonei-me, fiquei grávida, casei-me, tive filhos. No entanto, não me sinto realizada. Será que entrei num desvio?

– Só Deus sabe, Cristina. De qualquer forma, talvez você não esteja escrevendo o livro proposto, mas está escrevendo um livro que poderá até ser melhor, dependendo de seu desempenho.

– Devo lhe confessar que Rino não é o homem de minha vida. Sinto isso. Vejo nele um irmão que devo ajudar. Imagine que existisse alguém que eu devesse encontrar e que isso viesse a acontecer. Como ficaria o livro de minha vida?

– Teria que renunciar, considerando seus compromissos atuais.

– E ele?

Roberto sabia que sutilmente Cristina estava dizendo que ele era o próprio. No entanto, tinha

238   O Plano B

consciência de que seus caminhos agora eram paralelos, não convergentes.

– Se ele estiver bem consciente de suas responsabilidades, verá em você uma irmã querida, sustentando fraterno relacionamento.

– Será que se contentaria com isso?

Roberto resistiu ao impulso de tomá-la nos braços e dizer-lhe que só se contentaria quando a tivesse a seu lado, mas a consciência do dever falou mais alto.

– Só perguntando a ele – falou sorrindo.

Procurou mudar de assunto.

– E o nosso Cristóbulo?

– Está ótimo. Papai e mamãe estão encantados. Ambos percebem em sua maneira de ser muito de Cristiano. Se papai soubesse...

– Melhor não cogitar de uma revelação dessa natureza. O importante é que cuidem bem de sua educação. Até a adolescência podemos exercer influência benéfica sobre o Espírito que reencarna. Depois vai depender dele. É preciso ajudá-lo a superar velhas tendências para que não incorra nos mesmos enganos que precipitaram sua morte.

– Tenho conversado com mamãe a respeito. Estou torcendo para que dê certo.

Richard Simonetti

239

Capítulo 37

*R*oberto firmara-se como cirurgião famoso, que realizava prodígios em suas operações, por conjugar dois fatores fundamentais ao bom profissional:

Era extremamente habilidoso, calmo, desenvoltura nas mãos, aliados a profunda comunhão com a espiritualidade.

Jamais iniciava uma cirurgia sem orar, estabelecendo íntima ligação com o doutor Oton, que chefiava dedicada equipe de médicos desencarnados que o assistiam.

Médicos sintonizados com a espiritualidade destacam-se pela segurança de seus diagnósticos, pelo acerto de suas intervenções.

Por isso sua fama crescia sempre, mas sem alterar-lhe a humildade e a dedicação ao Bem, empenhado em servir.

Sua clínica era modesta, seus honorários abaixo do que cobravam cirurgiões famosos sem sua competência. Jamais permitia que o dinheiro se interpusesse entre ele e os pacientes.

Operava sempre, mesmo que o cliente não tivesse com que pagar. A gratificação maior que esperava era a satisfação de servir.

Nunca ficaria rico. Não obstante, possuía a riqueza maior – a consciência tranquila pelo dever cumprido.

Numa tarde, no início das consultas, a secretaria avisou pelo interfone que estava sendo procurado por uma colega, Sandra Crispim.

Roberto surpreendeu-se. Desde o lamentável episódio em que ela simulara assédio sexual, não mais conversaram.

Quando Sandra entrou logo percebeu que continuava linda e exuberante, como sempre, mas parecia abatida, revelando preocupação no olhar.

Sandra, por sua vez, estremeceu ao rever Roberto, mais maduro, charmoso, senhor de irresistível atração que a confundia e agitava.

– Sei que sou a última pessoa que gostaria de encontrar, mas venho pedir-lhe misericórdia para meu filho Vicente. Ele é portador de grave lesão congênita no coração. O problema vem se agravando e agora só uma cirurgia de alto risco poderá salvá-lo. Sei que você é o melhor especialista nesse gênero de problema e quero entregar meu filho em suas mãos.

São curiosos os caminhos da Vida, considerou intimamente Roberto. Era solicitado a garantir, como médico, um futuro para o filho de uma mulher que quase destruíra seu futuro na Medicina.

Tinha nas mãos sério problema.

Se uma intervenção cirúrgica não desse certo, Sandra poderia imaginar tratar-se de uma vingança. Bem sabia do que seria capaz se assim acontecesse.

– Tudo bem, Sandra. Não guardo ressentimentos, mas prefiro que você busque outro profissional. Há vários, muito habilidosos, que posso indicar-lhe.

– E se eu lhe pedir pelo amor de Deus? Por favor, Roberto. Sei que você é a melhor chance para meu filho. Perdoe-me!

– Não há o que perdoar, Sandra. Deus concedeu-me a bênção de jamais guardar mágoas, mas é uma situação constrangedora. Há o seu pai, que certamente não ficará satisfeito com sua escolha.

– Meu pai já sabe e concorda comigo.

Não era apenas o problema do passado. Roberto sabia do envolvimento de Sandra com Rino e como simplesmente o abandonou quando ele sofreu o derrame. Estava diante de uma mulher fria, que não vacilaria em culpá-lo se algo desse errado.

– Por favor, Roberto, por Deus! – insistiu ela a chorar.

A bondade do médico acabou triunfando sobre seus receios.

Richard Simonetti

– Está bem, Sandra. Vamos ver o que se pode fazer.

Vicente, que aguardava em sala ao lado, foi chamado.

Roberto logo percebeu que ele estava mal, magro, expressão abatida, pálido.

A simples auscultação revelou que o problema era grave e exigia imediata intervenção.

Exames foram feitos, confirmando o diagnóstico. A cirurgia impunha-se urgente.

ロロロロロ

Havia documento em que um responsável pelo paciente mirim declarava estar ciente da necessidade da cirurgia e dos riscos que envolvia.

Para surpresa de Roberto, Silas Crispim, que acompanhava Sandra, questionou:

– Não creio que minha filha deva assinar esse documento, isentando-o de responsabilidade. Quem me garante que o senhor vai se empenhar para que tudo corra bem? Quem me garante que não aproveitará para vingar-se pelo que aconteceu na Faculdade?

Roberto estava perplexo. Há muito varrera de sua mente o vexame a que fora submetido e aquele homem certamente não o conhecia. Se conhecesse não poria em dúvida sua competência e honestidade.

– Tudo bem, meu senhor. Só aceitei o paciente por insistência de sua filha. Pode procurar outro médico.

Sandra desesperou-se:

– Papai, por favor, pare com isso. Roberto é a nossa melhor chance para salvar Vicente.

– Procuraremos outro médico. Não vê que poderemos ser vítimas de uma vingança?

– Ocorre, papai, que não há tempo e confio na integridade de Roberto.

– Não sabemos o que vai em sua cabeça. Melhor não arriscar!…

Não obstante, Silas acabou concordando com a cirurgia e que Sandra assinasse o documento, mas ameaçou:

– Se algo acontecer com meu neto, acabo com sua reputação, com sua carreira, mesmo que seja a última coisa que faça em minha vida.

A razão dizia a Roberto que seria prudente recusar a cirurgia, mas sabia que era a melhor chance para o menino.

O coração falou mais alto.

ꘖꘖꘖꘖꘖ

Roberto não sabia que Vicente tinha encontro marcado com a morte.

Era o mentor espiritual de Sandra, ligado a ela havia séculos. Preocupado com a sua inconsequência, decidira vir para uma existência breve, a fim de tocar--lhe a sensibilidade.

Sua morte na infância motivaria uma transformação, ajudando-a a mudar os rumos de sua vida, levando-a a procurar os valores espirituais.

Não é fato isolado, amigo leitor.

Muitos pais modificam seu comportamento após a morte prematura de um filho amado, num *choque de despertamento,* que os estimula a se afastar das ilusões do Mundo, buscando conforto na religião.

Carlos, o mentor espiritual de Roberto, estava informado a respeito. Preocupava-se com Silas. Sua reação era imprevisível. Poderia complicar a missão de seu pupilo.

Procurou Augusto, na colônia *Abrigo das Almas.*

Recebido com a atenção de sempre, expôs o problema:

— Temo pela segurança de Roberto. Silas Crispim é um homem perigoso, principalmente se considerarmos que não gosta de Roberto e que só concordou com a cirurgia por insistência da filha.

— Como está o menino?

– Muito mal. É possível que não resista à cirurgia. De qualquer forma, se não for operado imediatamente, morrerá.

Augusto sabia ser importante que Roberto pudesse cumprir sua missão na Medicina em paz. Imperioso preservá-lo. Silenciou por alguns momentos, cogitando das providências necessárias.

– Vamos tentar uma moratória para Vicente. Tendo em vista sua elevada condição espiritual, não será difícil uma autorização da instituição que lhe patrocinou a reencarnação.

Contatos foram estabelecidos e ficou acertado que Vicente teria mais três anos na carne, suficiente para consagrar a cirurgia como vitoriosa, isentando Roberto da ira de Silas Crispim.

No dia seguinte o menino foi operado.

Nunca Roberto sentiu-se tão amparado, nunca seus assistentes presenciaram o exercício de tamanha habilidade.

Recursos magnéticos foram mobilizados pela equipe espiritual para o fortalecimento de Vicente, sob o comando do doutor Oton Giraldi.

A cirurgia foi coroada de êxito.

Não obstante as expectativas sombrias, ele se recuperou para mais três anos na carne, antes do *choque de despertamento*, destinado a mudar os rumos de Sandra.

Capítulo 38

*A*pós duas semanas, Vicente retornou ao lar.

Pouco depois Roberto recebia Sandra e Silas em seu consultório.

Silas fez algo que não era de seu feitio.

– Parabéns, doutor! O pessoal do hospital está maravilhado com a cirurgia, considerando verdadeiro milagre o que foi feito. Quero desculpar-me por minha conduta quando o ameacei. Foi puro desespero. Amo extremadamente meu neto e acabei fazendo bobagem.

Roberto sorriu compreensivo.

– Fique tranquilo, senhor Silas. A pressão é grande nesses momentos. Criança doente mexe com nossas emoções.

– Bem, Roberto, – comentou Sandra – eu não duvidava de sua competência e tinha a certeza de que meu filho estava nas melhores mãos. Agradeço do fundo do coração pelo que fez, principalmente depois do episódio na Faculdade.

Sandra sentia que era preciso algo mais do que simplesmente agradecer.

Dirigindo-se a Silas Crispim, confessou:

— Papai, sei que o senhor ficou em dúvida quanto à minha denúncia e que confiou em mim, não obstante várias pessoas terem testemunhado, a evidenciar que eu mentia. Menti para prejudicar Roberto e hoje estou envergonhada...

Silas tinha consciência de que fora uma armação de Sandra. Sua confissão não chegava a ser uma surpresa. Os testemunhos haviam sido irrefutáveis. Não obstante, não queria ver a filha humilhando-se.

— Tudo bem, filha. Isso é passado. Vamos cogitar do futuro.

— Não, papai, o mínimo que posso fazer é pedir a Roberto que me perdoe, do fundo do coração.

— Ora Sandra, fique tranquila. Já esqueci.

— Sim, mas não posso esquecer que quase estraguei sua carreira por minha inconsequência. Aliás, tenho feito muitas coisas erradas...

Silas pediu licença para acertar as contas na secretaria, dando margem a que Sandra ficasse por alguns minutos a sós com Roberto.

— Reconheço que fui leviana, mas devo dizer-lhe que estava envolvida com você, e o fato de rejeitar-me mexeu com meu orgulho. Acabei fazendo bobagem.

Sandra não podia negar que, mais do que nunca, sentia forte atração por aquele homem extraordinário, que poderia ter mudado o rumo de sua vida.

– Quando o perturbei com minhas investidas você disse que estava esperando pela mulher de sua vida. Continua esperando?

– Já a encontrei. Nossa relação é apenas de amizade, porquanto ela está presa a compromissos familiares que devo respeitar.

– E quanto a ela. Você é o homem de sua vida?

– Nunca falamos a respeito. Contento-me em simplesmente ser seu amigo.

– Ah! Roberto, você precisa ensinar-me a sublimar sentimentos. Sou passional, não consigo...

– Você tem um grande amor, pelo que pude observar. Seu filho Vicente.

– Tem razão. O afeto que sinto por ele é o que há de mais sagrado em minha existência, minha razão de ser. Não apenas para mim. Meus pais também são encantados com o neto. É um menino iluminado!

Espíritos superiores como Vicente possuem uma atmosfera psíquica sublimada que sensibiliza e atrai. É impossível conviver com eles sem se deixar envolver por sua grandeza espiritual.

– Deus os abençoe, Sandra. Cuide bem dele.

Ela aproximou-se de Roberto e o abraçou, carinhosa, beijando-lhe a face.

– Obrigada por tudo, Roberto. Deus lhe pague!

– Vá com Deus Sandra.

◻◻◻◻◻

Você estará perguntando, amigo leitor, se moratórias, como a de Vicente, são comuns, já que está profundamente arraigada no Espírito humano a ideia de que há tempo certo para morrer.

Podemos dizer que, assim como ocorre uma redução da existência, em face de um comportamento desajustado, há também a possibilidade de prolongá-la, sempre que os mentores espirituais julguem oportuno e necessário.

Chico Xavier, segundo suas próprias palavras, recebeu várias moratórias.

Sua missão como médium revelador, oferecendo-nos uma visão mais ampla da vida espiritual, praticamente completou-se nos cinquenta primeiros livros que psicografou, os mais importantes.

No entanto, continuou entre nós, atingindo quatrocentos e tantos livros, a serviço da consolação e como exemplo marcante de dedicação ao Bem e à Verdade.

Como diz Hermínio Miranda, o grande escritor espírita, gente assim *"faz serão"*, fica entre nós em tempo além do cumprimento de suas tarefas, em face da importância de seu trabalho.

Capítulo 39

*E*xatamente três anos mais tarde, conforme fora previsto, completou-se a moratória de Vicente.

Com a sensibilidade dos Espíritos superiores, não obstante o verdor de seus onze anos, o menino pressentiu que sua hora estava chegando, e, sob inspiração de mentores espirituais, procurou preparar o Espírito de Sandra.

— Mamãe, a senhora ficará magoada se eu partir?

Sandra não entendeu o alcance da observação.

— Partir, filho? Vai mudar de casa? Não está satisfeito com o tratamento? Você é o nosso reizinho.

— Não, mamãe, não falo em mudar de casa, mas em partir para o Céu.

— Que é isso, meu amor? Você está bem, é apenas um jovenzinho, tem muitos anos pela frente! Eu partirei primeiro, quando chegar a hora.

— Às vezes, mamãe, os filhos vão à frente. Creio que será o meu caso. Não quero que a senhora fique triste. Estarei melhor do outro lado, com corpo saudável...

Richard Simonetti

– Não, meu querido! Não fale assim! Não suportarei viver sem seu carinho.

– Está bem, mamãe, Vou pedir a Jesus que me deixe ficar ainda um pouco, mas, se acontecer, não fique triste.

Uma das características marcantes de Vicente era sua religiosidade. Sem receber nenhuma orientação nesse sentido, era profundamente ligado aos valores espirituais e revelava uma fé que surpreendia a todos.

¤¤¤¤¤

Dias depois o menino teve uma parada cardíaca em pleno sono. Sandra o encontrou morto pela manhã.

Jamais experimentara abalo tão grande.

Vicente será a razão e ser de sua existência.

Com ambos ocorrera algo frequente entre almas que se ligam no desdobramento de múltiplas existências, consolidando laços de afetividade tão fortes que parecem gêmeas: Vicente adiantou-se, despertou mais cedo para a religião, cresceu como Espírito imortal, enquanto Sandra patinava em sua rebeldia.

Deus, em sua infinita misericórdia, promove tão intensa ligação entre duas almas, a fim de que aquela que se adianta estenda as mãos à retardatária, ajudando-a a deixar o solo pantanoso de suas mazelas.

Assim vão acertando o passo e caminham rumo a gloriosa destinação nos domínios do Bem e da Verdade.

ロロロロロ

Como ocorre com os Espíritos superiores que desencarnam cedo, Vicente logo retomou a personalidade anterior e passou a acompanhar a reação de Sandra.

Conforme havia previsto, ela simplesmente perdeu o gosto pelas atividades mundanas. A própria preocupação com a beleza física, expressão de sua acentuada vaidade, esvaiu-se no sorvedouro de sua angústia.

Se por um lado era o resultado esperado, havia a preocupação com uma depressão que a levasse a cogitar do suicídio.

Vicente a inspirou a procurar Roberto, que estivera no seu velório discretamente.

Era uma mulher atormentada, distante daquela Sandra esfuziante e bela que Roberto conhecia.

– Então, Sandra, como está?

Ela debulhou-se em lágrimas, incapaz de exprimir seus sentimentos.

Richard Simonetti

257

– Calma, Sandra, calma. Não se entregue ao desalento. Vamos conversar.

– É difícil dizer o que está acontecendo comigo, Roberto. Só sei que a vida perdeu inteiramente o significado. Vicente era minha luz, minha alegria. Sem ele minha vontade é morrer.

– Cuidado, Sandra. É uma péssima ideia. Evite-a ou daqui a pouco vai cogitar do suicídio, complicando seu futuro. Dá para perceber que Vicente veio para existência breve. Isso há de ter significado. Havendo uma ligação afetiva tão intensa entre ambos, é provável que ele tenha vindo justamente para ajudá-la a encontrar um rumo para sua vida.

– Não estou entendendo.

– Sem absolutamente pretender criticá-la, você comprometeu-se em alguns desatinos, em sua procura de felicidade, num caminho que poderia levá-la a lamentáveis desenganos mais tarde. Provavelmente Vicente, sabendo disso, quis aplicar-lhe misericordioso *choque de despertamento*, aquele momento em que a tristeza é tão grande que a Vida perde a graça, esvaziando o coração de ilusões para que nos tornemos receptivos a valores mais nobres.

– Tudo isso é novidade para mim, mas num ponto está certo. Perdi a graça de viver...

– Haverá de reencontrá-la em outro patamar, longe das ilusões humanas. As grandes dores funcionam como sinos de Deus, convocando-nos a buscá-Lo na intimidade de nosso coração.

Abrindo uma gaveta, Roberto retirou exemplar de *O Evangelho segundo o Espiritismo,* entregando-o a Sandra.

– Leia este livro e terá respostas às suas indagações. Por outro lado, seria bom receber tratamento com passes magnéticos que lhe retemperem as energias.

Sandra foi encaminhada ao *Amigos do Mestre,* A partir daí, por anseio de consolo, fez uma iniciação espírita que haveria de mudar os rumos de sua vida.

A expressão *vir pelo amor ou pela dor,* uma vez mais fazia-se sentir na segunda hipótese. Sandra sentiu-se reconfortada pelos passes magnéticos e aos poucos foi entendendo o por quê de situações tão angustiantes, como a morte prematura de um filho.

A proposta de Vicente começava a funcionar.

Capítulo 40

*S*andra guardava imorredoura saudade do filho querido, sempre ligada a ele pelos condutos do pensamento.

Pode não ser bom para Espíritos de mediana evolução, que se atormentam com a angústia dos entes queridos.

Para Vicente aquela fixação atendia a seus propósitos. Neutralizava em Sandra os impulsos passionais e facilitava seu contato com ela, ajudando-a no esforço de renovação e na iniciação aos valores espirituais.

Trabalhava por despertar nela aquele lado bom que há em todos os seres humanos, filhos de Deus que somos, algo neutralizado pela ausência de reflexão, de oração, de religiosidade.

Foi ainda sob inspiração de Vicente que Sandra, encontrando-se com Cristina, no *Amigos do Mestre,* decidiu aproximar-se.

– Boa noite, Cristina.

Cristina não nutria nenhuma simpatia por Sandra, em face dos problemas que lhe causara. Sabia, entretanto, por informações de Roberto, da morte do filho e dos sofrimentos que vinha enfrentando. Percebeu-a abatida, sem aquele viço que a destacava, vestida com simplicidade, expressão sofrida.

Compadecida, respondeu sem mágoa.

– Boa noite, Sandra.

– Perdoe-me importuná-la, mas em face de minha vivência atual com o Espiritismo, enfrentando ainda a dor da morte de meu filho, sinto que é minha obrigação pedir-lhe perdão pelos transtornos que lhe causei.

Cristina percebeu que havia sinceridade em suas palavras, em tom de humildade que a sensibilizou.

– Tudo bem, Sandra, não se preocupe. Também tenho aprendido com o Espiritismo que a mágoa é peso morto que carregamos, complicando nossa jornada. Fique tranquila.

– Sei que você nunca esquecerá o que aconteceu. É impossível, mas fico aliviada por saber que não guarda ressentimentos.

Após breve pausa, Sandra tocou no assunto que a incomodava, reticente.

– E Rino, como está? Sinto-me uma criminosa pelo que fiz, dispensando-o como quem se livra de pacote incômodo. Foi vergonhoso.

– Ele está bem, embora com as limitações impostas pela doença.

– Se houver algo que eu possa fazer...

– Fique tranquila. O simples fato de você manifestar-se a respeito é uma bênção. Ele ficará feliz por saber que perguntou por ele.

Sandra trazia os olhos úmidos, esforçando-se por conter as lágrimas.

– Espero que Deus me perdoe tantos erros que tenho cometido.

– Deus perdoa sempre, Sandra. É nosso Pai. Fico feliz em saber os benefícios que o Espiritismo lhe proporcionou.

Obedecendo à generosidade que a caracterizava, Cristina abraçou Sandra, que abriu a comporta das lágrimas.

ロロロロロ

Conversando depois com Roberto, Cristina comentou o encontro.

– Impressionante, Roberto, a mudança de Sandra. Eu a via como uma mulher fria e determinada, incapaz de exercitar a consciência...

Roberto sorriu.

– Pode parecer humor negro, mas a verdade é que a morte de Vicente lhe fez bem, sensibilizando-a e abrindo seu entendimento aos princípios espíritas. É uma dupla irresistível, sofrimento moral e esclarecimento espiritual, corrigindo rumos e favorecendo aquele *cair em si* a que se refere Jesus, na *Parábola do Filho Pródigo.*

– Você acha que essa situação foi programada?

– Provavelmente. Imagino que Vicente reencarnou com o propósito de mudar os rumos de Sandra, que estava entrando em caminhos perigosos, afastando-se do que poderíamos chamar de seu destino.

– Esses desvios são comuns?

– Infelizmente, sim. Ocorrem por fragilidade nossa e também por ação alheia. O apóstolo Paulo dizia que devemos lutar contra os príncipes e as potestades do mal. Por influência desses Espíritos que pretendem conturbar a ordem na Terra, para impor seu domínio, uma jovem quase inviabilizou minha formação como médico. Não fossem os testemunhos de dedicado professor e de alguns colegas, eu estaria hoje exercendo outra profissão.

– Você nunca falou nada a respeito.

– Nem vale a pena. Dizem os mentores espirituais que o comentário em torno do mal é sempre o mal a expandir-se.

– Eu conheço essa jovem?

– Desculpe, Cristina, mas prefiro silenciar a respeito.

– Eu é que peço desculpas. Como você sabe, a

curiosidade feminina é uma realidade. De qualquer forma, se não quer identificá-la provavelmente é porque a conheço, não é mesmo?

– Boa tentativa, Cristina, mas o dever me chama.

Cristina às vezes aborrecia-se com Roberto por essas escapadas, com o que se livrava de envolver-se em determinados assuntos. Não obstante, o admirava ainda mais por constatar a prudência que marcava seu comportamento, sempre se recusando a qualquer palavra ou comentário que pudesse resvalar para uma apreciação pejorativa de alguém.

Capítulo 41

A vida seguiu seu curso, Roberto sempre envolvido com o trabalho missionário na Medicina.

Na família Delácio, Cristina às voltas com Rino.

Juvenal, Marisa e Marcos, casados, cuidando da prole.

Cristiam inteiramente dedicado às atividades espíritas, tarefa missionária sem espaço para o casamento.

Cristóbulo seguindo caminhos diferentes de seu clone Cristiano, demonstrando horror às bebidas baladas e motocicletas, em face de sua trágica experiência pretérita.

Cristóvão e Dolores envelhecendo com a tranquilidade dos que guardam a consciência tranquila.

Quando as pessoas acertam o passo, na cadência da Vida, há pausas reconfortantes nos embates existenciais, e mesmo quando estes ocorram, sempre é possível *tirar de letra,* conservando a capacidade de ser feliz.

ロロロロロ

Certa feita, Roberto e Cristina participavam de uma reunião mediúnica onde, por intermédio de Cristiam, que revelava notável desenvoltura mediúnica, um mentor esclarecia, em determinado ponto de seus comentários:

... Jesus informava que conhecendo a verdade ficaremos livres, reportando-se aos seus princípios como a chave libertadora de nossas Almas.

Nesse contexto, vamos considerá-la num aspecto importante: o nosso cotidiano.

Em variadas situações, na atividade social, familiar, profissional, o homem é tentado a mentir, por conveniência, por fuga às responsabilidades, ou por estar fazendo algo condenável.

Ainda que a mentira possa atender aos seus propósitos, não o livrará de desajustes a se exprimirem em permanente inquietação.

É que a mentira nos coloca em sintonia negativa, vulneráveis a influências sombrias e perturbadoras.

Um dos testes mais eficientes para avaliar nossa condição espiritual é perguntar a nós mesmos se não nos comprometemos num comportamento que exija o exercício da mentira.

Não há bem mais precioso do que a consciência tranquila, algo que jamais sustentaremos se não formos autênticos.

Após a reunião, enquanto Cristiam conversava com Santos sobre determinada atividade mediúnica, Roberto trocou ideias com Cristina.

Como sempre, eram momentos preciosos para ambos, e Roberto, particularmente impressionado com a mensagem recebida, comentava.

– O que ouvi hoje fala bem de perto às minhas necessidades, Cristina. Entendo que a paz verdadeira é sustentada por uma existência inspirada na verdade. A esse propósito tenho uma confissão a lhe fazer que, creio, não constituirá novidade. Desde nossos primeiros encontros a identifiquei como a companheira por quem esperei a existência inteira. Se não estou equivocado, você guarda idêntico sentimento.

Cristina sentia crescer incontida emoção.

– Minha tristeza quando soube que estava comprometida foi grande. Tentei entender. Por que nosso encontro deu-se em tal situação? Não obstante, não adianta a mera especulação. Temos que trabalhar com a perspectiva do presente, não do passado. Você tem compromissos com Rino e é preciso respeitá-los para que possamos conservar a consciência tranquila, sem semear problemas para o futuro.

Cristina empenhava-se em conter as lágrimas, que insistiam em aflorar, exprimindo sentimentos contraditórios. Por um lado a alegria de ver finalmente verbalizada a ligação entre ambos. Por outro, a tristeza de uma união impossível, talvez por culpa dela própria, que não soubera esperar...

– Você adivinhou meus sentimentos, Roberto. Concordo plenamente com suas ponderações. Há alguns anos certamente eu não veria nenhum problema em avançar em nosso relacionamento para uma comunhão mais íntima. Hoje, com o conhecimento espírita, reconheço que é preciso respeitar os atuais compromissos. Só não quero que percamos o contato. Tenho aprendido, nestes anos de convivência, que a amizade, o companheirismo, são mais importantes do que o envolvimento passional.

– Perfeito, Cristina. Há muito renunciei a esse tipo de relacionamento e fico feliz apenas em podermos conversar, trabalhar juntos no Centro. Sua presença é alimento para minha alma.

ロロロロロ

Carlos e Fernando conversavam com Augusto, na colônia *Abrigo das Almas*.

Os mentores espirituais de Roberto e Cristina estavam felizes com o desdobramento das situações.

Dizia Carlos:

– Felizmente nossos pupilos optaram pelo caminho acertado, contendo os impulsos passionais que costumam aflorar em tais situações.

Fernando concordou.

– Eu já esperava isso da parte de Roberto. É Espírito lúcido e perfeitamente consciente de suas responsabilidades. Eu temia por Cristina, mas ela está se saindo bem.

Augusto sorriu.

– Quando a razão supera o instinto fica mais fácil lidar com as tentações. Observem que até os desvios humanos podem converter-se em valiosas lições, quando assumimos nossas responsabilidades. É o que aconteceu com Cristina. Sairá fortalecida dessa experiência, preparada para evitar comprometimentos semelhantes no futuro.

Carlos, interessado em aprofundar o assunto, comentou:

– Fico imaginando jovens que se envolvem em desvios, na atualidade, nos domínios da promiscuidade sexual, vícios, irresponsabilidade.... Cristina não foi tão longe e logo corrigiu sua rota. E quando o jovem não muda de rumo e colhe na vida futura as consequências de seus desatinos? Isso lhe servirá de estímulo a mudança de comportamento, em futura encarnação?

Augusto explicou:

– Depende de cada um, de como enfrente essas lições. Poderá conservar as mesmas tendências ou adotar comportamento mais adequado. De qualquer forma, as limitações e dores resultantes de seus desvios, trabalharão incessantemente sua consciência em favor de um despertar, estimulando-o à renovação.

— E quanto ao futuro de Roberto e Cristina? – perguntou Fernando.

— A Deus pertence – respondeu Augusto sorrindo, passando a impressão de que sabia o que lhes estava reservado.

Capítulo 42

*D*ois acontecimentos marcaram o dia 30 de junho de 2002:

Em Yokahama, Japão, o Brasil conquistou o pentacampeonato mundial de futebol, ao derrotar a Alemanha por dois a zero.

Em Uberaba, Minas Gerais, desencarnou Francisco Cândido Xavier, conforme seu desejo: partir num dia de grande felicidade para o povo brasileiro.

Festas e pesares coletivos.

No âmbito individual e familiar, acontecimento igualmente marcante.

Roberto cumpria a rotina de visitas aos pacientes cirurgiados no hospital, quando recebeu telefonema de Cristina.

Era Rino. Desmaiara, após intensa dor no peito.

Roberto providenciou sua imediata internação.

Cristina e os filhos acompanharam o paciente. Após os cuidados iniciais, Roberto lhes falou:

– Infelizmente, a lesão é grave, cirurgia impossível. É paciente terminal.

Richard Simonetti

Cristina pediu para ver o marido na UTI.

Rino respirava com dificuldade, mas, lúcido, dirigiu-se titubeante a Cristina.

– Desculpe, Cristina, todos os problemas que lhe causei... Saiba que eu a amo muito... Ore por mim!

Antes que ela pudesse esboçar qualquer reação, ele silenciou, inconsciente.

Em breves instantes, expirou.

▫▫▫▫▫

Um ano depois, em cerimônia simples, com a presença apenas de familiares e amigos íntimos, Roberto e Cristina casaram-se.

Com atraso de algumas décadas, cumpriam o que fora planejado.

No mundo espiritual, Custódio, Angelina, Oton Rinaldi, Fernando, Carlos, Augusto e todos os amigos espirituais do casal festejavam.

Augusto comentava feliz:

– O Céu rejubila-se com eventos dessa natureza, quando inspirados no amor legítimo e na disposição de uma existência a dois marcada pelo respeito às leis divinas e pelo esforço do Bem. Desvios de rota são frequentes na jornada humana. Difícil compatibilizar o que planejamos no mundo espiritual com o que fazemos no mundo físico. Mesmo missionários que reencarnam com importantes tarefas em favor do progresso humano, não raro desviam-se, comprometendo planos cuidadosamente elaborados. É por isso que mais consertamos os estragos do passado do que edificamos para o futuro. Assim será enquanto o egoísmo for o móvel das ações humanas. Permanecemos próximos da animalidade instintiva, que favorece desvios, e distantes da angelitude, sem compatibilizar os desejos terrestres com os desígnios celestes.

Após breve pausa, concluiu:

– Não obstante, a misericórdia divina nos oferece infinitas oportunidades de reabilitação e ninguém está irremediavelmente transviado. Não é preciso muito para valorizar a experiência reencarnatória, evitando ou superando desvios. Basta manter a consciência desperta, avaliando sempre, à luz do Evangelho, se estamos cumprindo o que Deus espera de nós. Estaremos bem perto de fazê-lo, à medida que substituirmos, no verbo de nossas ações, o *eu* pelo *nós*. O egoísmo pelo altruísmo, fazendo ao próximo o bem que gostaríamos de receber, conforme a sábia orientação de Jesus.

Silenciou o mentor, enquanto Roberto e Cristina beijavam-se emocionados, concretizando seus anseios mais ardentes, propondo-se à ventura de uma existência a dois voltada para os valores do Bem e da Verdade.

Richard Simonetti

BIBLIOGRAFIA DO AUTOR

01 – PARA VIVER A GRANDE MENSAGEM   *1969*
Crônicas e histórias.
Ênfase para o tema Mediunidade.
Editora: FEB

02 – TEMAS DE HOJE, PROBLEMAS DE SEMPRE   1973
Assuntos de atualidade.
Editora: Correio Fraterno do ABC

03 – A VOZ DO MONTE   1980
Comentários sobre "O Sermão da Montanha".
Editora: FEB

04 – ATRAVESSANDO A RUA   1985
Histórias.
Editora: IDE

05 – EM BUSCA DO HOMEM NOVO   1986
Parceria com Sérgio Lourenço
e Therezinha Oliveira.
Comentários evangélicos e temas de atualidade.
Editora: EME

06 – ENDEREÇO CERTO   *1987*
Histórias.
Editora: IDE

07 – QUEM TEM MEDO DA MORTE? *1987*

Noções sobre a morte e a vida espiritual.

Editora: CEAC

08 – A CONSTITUIÇÃO DIVINA *1988*

Comentários em torno de "As Leis Morais",
3ª parte de O Livro dos Espíritos.

Editora: CEAC

09 – UMA RAZÃO PARA VIVER 1989

Iniciação espírita.

Editora: CEAC

10 – UM JEITO DE SER FELIZ 1990

Comentários em torno de
"Esperanças e Consolações",
4ª parte de O Livro dos Espíritos.

Editora: CEAC

11 – ENCONTROS E DESENCONTROS 1991

Histórias.

Editora: CEAC

12 – QUEM TEM MEDO DOS ESPÍRITOS? 1992

Comentários em torno de "Do Mundo Espírita e
dos Espíritos", 2ª parte de O Livro dos Espíritos.

Editora: CEAC

13 – A FORÇA DAS IDEIAS 1993

Pinga-fogo literário sobre temas de atualidade.

Editora: O Clarim

14 – QUEM TEM MEDO DA OBSESSÃO? 1993

Estudo sobre influências espirituais.
Editora: CEAC

15 – VIVER EM PLENITUDE 1994

Comentários em torno de "Do Mundo Espírita e dos Espíritos", 2ª parte de O Livro dos Espíritos. *Sequência de* Quem Tem Medo dos Espíritos?
Editora: CEAC

16 – VENCENDO A MORTE E A OBSESSÃO 1994

Composto a partir dos textos de Quem Tem Medo da Morte? *e* Quem Tem Medo da Obsessão?
Editora: Pensamento

17 – TEMPO DE DESPERTAR 1995

Dissertações e histórias sobre temas de atualidade.
Editora: FEESP

18 – NÃO PISE NA BOLA 1995

Bate-papo com jovens.
Editora: O Clarim

19 – A PRESENÇA DE DEUS 1995

Comentários em torno de "Das Causas Primárias", 1ª parte de O Livro dos Espíritos.
Editora: CEAC

20 – FUGINDO DA PRISÃO 1996

Roteiro para a liberdade interior
Editora: CEAC

21 – O VASO DE PORCELANA *1996*

Romance sobre problemas existenciais, envolvendo família, namoro, casamento, obsessão, paixões...

Editora: CEAC

22 – O CÉU AO NOSSO ALCANCE 1997

Histórias sobre "O Sermão da Montanha".

Editora: CEAC

23 – PAZ NA TERRA 1997

Vida de Jesus – nascimento ao início do apostolado.

Editora: CEAC

24– ESPIRITISMO, UMA NOVA ERA 1998

Iniciação Espírita.

Editora: FEB

25 – O DESTINO EM SUAS MÃOS 1998

Histórias e dissertações sobre temas de atualidade.

Editora: CEAC

26 – LEVANTA-TE! 1999

Vida de Jesus – primeiro ano de apostolado.

Editora: CEAC

27 – LUZES NO CAMINHO 1999

Histórias da História, à luz do Espiritismo.

Editora CEAC

28 – TUA FÉ TE SALVOU! 2000
Vida de Jesus – segundo ano de apostolado.
Editora: CEAC

29 – REENCARNAÇÃO – TUDO O QUE 2000
VOCÊ PRECISA SABER
Perguntas e respostas sobre a reencarnação.
Editora: CEAC

30 – NÃO PEQUES MAIS! 2001
Vida de Jesus – terceiro ano de apostolado.
Editora: CEAC

31 – PARA RIR E REFLETIR 2001
*Histórias bem-humoradas, analisadas à luz da
Doutrina Espírita.*
Editora: CEAC

32 – SETENTA VEZES SETE 2002
Vida de Jesus – últimos tempos de apostolado.
Editora: CEAC

33 – MEDIUNIDADE, TUDO O QUE 2002
VOCÊ PRECISA SABER
Perguntas e respostas sobre mediunidade.
Editora: CEAC

34 – ANTES QUE O GALO CANTE 2003
Vida de Jesus – o Drama do Calvário.
Editora: CEAC

35 – ABAIXO A DEPRESSÃO! 2003

Profilaxia dos estados depressivos.

Editora: CEAC

36 – HISTÓRIAS QUE TRAZEM FELICIDADE 2004

Parábolas evangélicas, à luz do Espiritismo.

Editora: CEAC

37 – ESPIRITISMO, TUDO O QUE 2004
VOCÊ PRECISA SABER

Perguntas e respostas sobre a Doutrina Espírita.

Editora: CEAC

38 – MAIS HISTÓRIAS QUE TRAZEM FELICIDADE 2005

Parábolas evangélicas, à luz do Espiritismo.

Editora: CEAC

39 – RINDO E REFLETINDO COM CHICO XAVIER 2005

Reflexões em torno de frases e episódios
bem-humorados do grande médium.

Editora: CEAC

40 – SUICÍDIO, TUDO O QUE 2006
VOCÊ PRECISA SABER

Noções da Doutrina Espírita sobre a problemática
do suicídio.

Editora: CEAC

41 – RINDO E REFLETINDO COM CHICO XAVIER   2006
Volume II

Reflexões em torn de frases e episódios bem-humorados
do grande médium.
Editora: CEAC

42 – TRINTA SEGUNDOS   2007

Temas de atualidade em breves diálogos.
Editora: CEAC

43 – RINDO E REFLETINDO COM A HISTÓRIA   2007

Reflexões em torno da personalidade de figuras
ilustres e acontecimentos importantes da História.
Editora: CEAC

44 – O CLAMOR DAS ALMAS   2007

Histórias e dissertações doutrinárias.
Editora: CEAC

45 – MUDANÇA DE RUMO   2008

Romance.
Editora: CEAC

46 – DÚVIDAS E IMPERTINÊNCIAS   2008

Perguntas e respostas.
Editora: CEAC

47 – BEM-AVENTURADOS OS AFLITOS   2009

Comentários sobre o capítulo V

de O Evangelho segundo o Espiritismo.

Editora: CEAC

48 – POR UMA VIDA MELHOR   2009

Regras de bem viver e orientação

aos Centros Espíritas

Editora CEAC

49 – AMOR, SEMPRE AMOR!   2010

Variações sobre o amor, a partir de *O Evangelho*

segundo o Espiritismo.

Editora: CEAC

50 – O PLANO B   2010

Romance

Editora CEAC

51 – BOAS IDEIAS   2011

Antologia de 50 obras do autor.

Editora: CEAC

52 – A SAÚDE DA ALMA   2011

Histórias e reflexões em favor do bem-estar.

Editora: CEAC

53 – O RESGATE DE UMA ALMA   2012
Romance.
Editora: CEAC

54 – O GRANDE DESAFIO   2012
Histórias e reflexões.
Editora: CEAC

55 – DEPRESSÃO - Uma história de superação   2013
Romance.
Editora: CEAC

56 – O HOMEM DE BEM   2013
Reflexões sobre o enfoque de Allan Kardec, em
O Evangelho segundo o Espiritismo.
Editora: CEAC

57 – PARA GANHAR A VIDA   2014
Histórias e dissertações doutrinárias.
Editora: CEAC

58 – CONTRA OS PRÍNCIPES E AS POTESTADES   2014
Romance enfocando reuniões mediúnicas.
Editora: CEAC

59 – PARA LER E REFLETIR   2015
Temas de atualidade.
Editora CEAC

60 – AMOR DE PROVAÇÃO   2015

Romance enfocando um drama de amor.

Editora CEAC

61 – MORTE, O QUE NOS ESPERA   2016

Dissertações em torno da 2ª. parte do livro

O Céu e o Inferno, *de Allan Kardec.*

Editora CEAC

62 – UMA RECEITA DE VIDA   2016

Roteiro para uma existência feliz.

Editora CEAC

63 – O QUE FAZEMOS NESTE MUNDO?   2017

Reflexões sobre a existência humana.

Editora CEAC

64 – A BENÇÃO DA GRATIDÃO   2018

Reflexões sobre a existência humana.

Editora FEB

65 – O MELHOR É VIVER   2016

Romance enfocando causas e consequências do suicídio

Editora CEAC

66 – O PENSAMENTO VOL 1   2022

Organizado por Álvaro Pinto de Arruda

Um extrato do Pensamento Doutrinário Espírita de Richard Simonetti

Editora CEAC

67 – O PENSAMENTO VOL 2

2023

Organizado por Álvaro Pinto de Arruda

Um extrato do Pensamento Doutrinário Espírita de Richard Simonetti

Editora CEAC

Impressão e Acabamento | Gráfica Viena
Todo papel desta obra possui certificação FSC® do fabricante.
Produzido conforme melhores práticas de gestão ambiental (ISO 14001)
www.graficaviena.com.br